三木 清 人生論ノート

인생론 노트

미키 기요시 지음
이성규 · 임진영 역

지식공간

역자 서문

『인생론 노트人生論ノート』는 일본 교토京都학파를 대표하는 철학자 미키 기요시三木清의 가장 유명한 저작으로, 「여행에 관해旅について」, 「개성에 관해個性について」, 후기後記를 제외하고는 1938년~1941년 『분가쿠카이文学界』(분게슌쥬샤文藝春秋社)에 발표한 소론小論 을 담고 있다. 이런 의미에서 일종의 모음집이다.

『인생론 노트』에 수록된 소론은 현대적 관점에서 보면 큰 간극은 분명히 존재하지만, 여기에서 다루고 있는 주제는 〈죽음·행복·회의·습관·허영·명예심·분노·인간의 조건·고독·질투·성공·명상·소문·이기주의·건강·질서·감상·가설·위선·오락·희망·여행·개성〉과 같이 현재도 일상생활을 영위하는 데에 우리 모두가 고민하고 한 번쯤은 음미해야 할 내용을 포함하고 있다는 점에서는 시간적 지속성과 공통성이 인정된다. 우리 인생에서 누구나 부딪치는 문제에 대해 철학적 시점에서 그간 주목받지 못했던 사상을 바탕으로 삼아 저자는 알기 쉬운 문체로 평이하게 저술했겠지만, 그 표제標題에 비해 내용은 난해한 것으로 알려져 있다. 그럼에도 불구하고 초판 당시부터 현재에 이르기까지 많은 독자층을 확보하고 있다는 점에서 난독을 극복하는 무엇인가 삶에 시사하는 바가 크다고 사려된다.

특히 고대 그리스 철학부터 그 이후의 서구 철학 전반에 걸친 해박한 지식에 기반을 두고 있기에, 전문적인 용어가 본문 곳곳에 담겨 있다. 기실 역자들은 그동안 일본어 교육 및 일본어학에 관한 저술 및 일본어 성서와 관련된 일련의 분석을 통해 세간에 여러 형태의 서책을 제출한 바 있다. 그런데 실제로 『인생론 노트』를 번역하는 과정에서 내 자신의 지적 수준이 얼마나 천학비재浅学菲才하고, 여전히 오만과 독선이 내 마음속에 강렬하게 뿌리 내리고 있는 것을 절감했다.

요즘은 공정·상식·사회정의·도덕관념·질서의식은 어느 사이엔가 실종되고, 혹여나 우리는 자기중심주의 또는 자기우선주의 내지 이기주의에 함몰되어 있는 것은 아닌지 자문할 때가 많다. 돈 지상주의나 배금주의도 만연되어 있다. 새로운 유형의 카오스(혼돈)가 엄습한 것 같은 두려움조차 들 때도 있다. 이를 극복하기 위해서 신체적 성장이나 부의 성장이 아니라 지적 성장을 추구해야 할 때가 아닌가 생각해 본다.

역자의 역할 분담은 다음과 같다.

[1. 죽음에 관해, 2. 행복에 관해, 3. 회의에 관해, 4. 습관에 관해, 5. 허영에 관해, 6. 명예심에 관해, 7. 분노에 관해, 8. 인간의 조건에 관해, 9. 고독에 관해, 10. 질투에 관해, 11. 성공에 관해, 12. 명상에 관해]는 임진영이, [13. 소문에 관해, 14. 이기주의에 관해, 15. 건강에 관해, 16. 질서에 관해, 17. 감상에 관해, 18. 가설에 관해, 19. 위선에 관해, 20. 오락에 관해, 21. 희망에 관해, 22. 여행에 관해, 23. 개성에 관해, 24. 후기]는 이성규가 번역과 주를 담당했고, 전체 번역의 윤문은 양인이 공동으로 진행했다.

원 저자의 집필 당시의 지식인이나 독자들의 지식의 총합은 현재 우리의 그것과는 반드시 일치하지 않고, 다르다고 해서 그것이 부정적인 것을 의미하는 것은 아니다. 『인생론 노트』에서는 먼저 한자에 유래하는 어휘가 많이 사용되고 있고, '~的'과 같은 표현 역시 현대 일본어의 용법과 사뭇 다르다. 일본어의 경우 한자 문화권의 본령을 보여주는 것처럼 극한으로 한자에 의한 조어 및 표현이 발달되어 있다. 저자가 사용한 한자 어휘 중 대부분은 이전의 우리 선학들도 아마도 이해 어휘 및 사용 어휘로서 기능하고 있었을 텐데, 한자와의 결별에 가까운 선언을 한 작금의 한글 표기에 익숙한 일부 독자에게는 이와 같은 것이 책의 내용을 이해하는 데에 장애요인으로 작용할지도 모른다. 그러나 난해하게 보이는 어휘나 표현을 무리하게 한글로 바꿀 경우, 자칫하면 원문의 내용과 색깔이 손상될 수 있다는 우려에서 동어 반복이나 용장감冗長感 등으로 인하여 다소 어색하거나 부자연스러운 면이 있다고 하더라도 가능한 한 축어역逐語訳하는 입장을 견지했다.

    또한 일본어에서 사람과 인간을 나타내는 'ひと(人)·者·人間'는 동일한 의미분야에 속하는 어휘지만, 저자는 각각의 의미영역을 달리하고 있다. 저자가 이들 어휘를 그 의미·용법에 따라 구별하여 사용하고 있는 예도 있고 그렇지 않은 경우도 있다. 역자는 이에 대해 'ひと(人)[사람, 사람들]·者[자, 이, 사람]·人間[인간]'과 같이 적의 구분하여 해석해 두었다.

　원문은 당시의 일반 독자를 대상으로 하고 있다는 점에서 저자는 나름대로 상식적인 내용을 알기 쉽게 기술한 것이겠지만, 곳곳에 전문적인 용어가 전개되고 있다. 이들 용어 중에는 전문적인 지식을 굳이 빌리지 않아도 되는 일반적인 개념을 나타내는 것도 있기 때문에 우리가 평소 알고 있는 어휘적 의미를 적용해도 이해에 큰 문제는 없다. 그러나 한편으로는 지적 호기심에 촉발되어 해당 분야에서의 구체적인 개념 규정을 확인하고 싶은 경우에 대응하고자 역자의 주석을 추가하였다. 이러한 주석은 원문의 전체 내용을 이해하는 데에 반드시 요구되는 것은 아니니 독자 제위께서 필요 시 참고하기 바란다. 독자 중에서는 본 역서의 내용이 난해하다고 하여 부정적인 입장을 취하는 분도 있을 수 있고, 혹은 그래도 이해 범위 내에 포함된다고 판단하는 분도 있을 것이다. 문면의 어휘나 표현에 과도하게 의미를 부여하는 것보다는, 저자가 주장하고자 한 전체적 의미에 관심을 가지며 일독해 주시기를 앙망하는 바이다.

『인생론 노트』에는 영어뿐만 아니라, 그리스어, 라틴어, 독일어 등에서 기원하는 외래어 및 인용이 산견한다. 영어는 인하대학교 영어영문학과 홍순현 교수에게, 라틴어는 철학과 고인석 교수에게, 독일어는 문화경영학과 김상원 교수에게 다대한 교시를 받았다. 성서 관련 인용에 관해서는 역자 중의 한 사람인 이성규가 현재 진행하고 있는 성서의 언어학적 분석에 의거한 바가 크다. 그리고 본문의 일부 어휘 및 표현에 관해서는 나카무라 유리中村有里 선생님에게 다대한 조언을 받았기에 감사의 뜻을 표한다.

끝으로 본서 출간을 위해 애써 주신 지식공간 여러분께도 감사의 마음을 전한다.

2022년 7월

역자 이성규 (인하대학교 일본언어문화학과)

임진영 (서경대학교 인성교양대학)

저자 소개

『인생론 노트』에는 서문이 없는데 그 이유에 관해 저자는 후기에서 밝히고 있다. 여기에서는 저자에 관한 여러 자료에 기초하여 그의 인간론의 근간을 이루는 철학 사상 및 인생관을 간단히 소묘하고자 한다.

미키 기요시 三木清[1897년 - 1945년]는 교토학파 京都学派(니시다좌파 西田左派를 포함)의 철학자로, 호세이대학 法政大学 법문학부 法文学部 교수를 역임했다. 제2차 세계대전 중에 치안유지법 治安維持法 위반으로 도망 중인 지인을 지원한 것으로 체포 구금되어 옥사했다.

미키 기요시는 1897년 1월 5일, 부유한 농가의 장남으로 태어나, 1914년 제일고등학교에 입학했다. 이후, 니시다 기타로 西田幾多郎의[1] 『선의 연구 善の研究』를 읽고 감동하여, 1917년 교토제국대학 철학과에 입학하여 니시다에게 사사 師事했다. 졸업논문은 「비판철학과 역사철학 批判哲学と歴史哲学」이다. 신칸트학파의 영향이 강하게 보이지만 말미에서 '보편타당한 가치는 어떻게 해서 개성 속에 실현되는지, 이것이 우리의 근본 문제이다' 라고 기록한 점에서 이른 시기에 그것을 초월해 가는 자세가 엿보인다.

1922년부터 1925년까지 독일, 프랑스에 유학하고 리케르트Rickert, Heinrich아이데거Heidegger, Martin에게 배웠다. 유학 때부터 발표한 논고를 모아『파스칼에 있어서의 인간 연구』(1926)를 처녀작으로 출판했다. '의식'에 부여받은 인간이 아니라, '절대적이며 구체적인 현실'로서의 인간을 이해하려고 했다. 또한, '철학의 체계'로서가 아니라 '삶' 그 자체를 이해하려고 했다는 점에서 미키 자신의 독자적인 인간학人間學의 출발점이 보인다. 1927년 호세이法政대학 교수로 역임하면서, 이 때부터 '인간학의 마르크스[Marx, Karl]적 형태'를 비롯하여 많은 마르크스 연구를 발표함으로써 일약 논단論壇의 스타가 되었다. 이것은 마르크스주의의 이론가 후쿠모토 가즈오福本和夫의 화려한 데뷔에 자극받은 면도 있지만, 스스로의 인간학에 물질적인 기초를 부여하려고 하는 의도를 내부에 가지고 있었다. 그것들은 고정된 공식으로 객관적인 법칙으로 이해되는 경향이 있었던 마르크스 사상을 '생산과 생산의 사회관계 속 인간'에서 출발하여 '생산력 발전의 과정에 있는 현실적인 인간'으로서 주체화하려고 하는 시도였다. 그러나 정통파 좌익正統派左翼으로부터는 '관념론의 분식 형태'로서 혹독하게 단죄되었다.

1930년, 일본공산당에 자금을 제공한 이유로 치안유지법 위반 혐의로 검거되고, 이후 공직에서 물러나 마르크스주의로부터도 점차 거리를 두게 되었다. 『관념형태론』(1931), 『역사철학』(1932), 『인간학적 문학론』(1934) 등을 공간公刊하는 한편, 잡지나 강좌의 집필, 편집에 정력적으로 활동했다. 그리고 휴머니즘 입장에 서서 나치스에 대한 항의, 교다이 다키가와 사건京大滝川事件(1933년에 교토제국대학에서 발생한 사상 탄압사건)에 대한 항의, 천황기관설天皇機関説(국가법인설)[6] 문제에 대한 경고 등, 사회적으로도 활발하게 행동했다.

1937년 '구상력의 논리' 제1회 '신화'를 발표하고, 이후 '제도' '기술'을 추가하여 『구상력의 이론 제1』(1939)로 정리했다. 나아가 '경험'을 쓰고 '언어'를 예고했지만 미완으로 끝났다. 『구상력의 이론 제1』은 같은 시기에 병행해서 발표한 『철학노트』와 함께 자신의 사색에 일정한 형태를 부여하고자 한 미키의 시도였다.

미키三木 사상의 가장 정리된 서술은 『철학입문』(1940)에 나타난다. 현실을 '대상'으로서가 아니라 '거기에서 활동하고 거기에서 생각하고, 거기에서 죽는다'고 하는 것을 '기저'로 하고 '주관적·객관적인 것'으로서의 인간에 주목하여 세계를 창조함으로써 자기를 형성하는 '기술'의 철학을 전개했다. 이 시기 고노에 후미마로近衛文麿 내각의 정책집단인 '쇼와昭和연구회'에 참가하여 이론적 지주가 되는 '신일본의 사상원리'(1939)를 작성하고, '동아협동체론東亞協同体論'을 주창했다. 그러나 시대에 대한 저항은 점차 절망감絶望感에서 허무감虛無感으로 변화하고, 신란親鸞의 말법사상末法思想[7][8]으로 경도되어 간다. 1945년 3월, 사상범인 친구 다카쿠라·데루タカクラ·テル[9]를 숨겨준 혐의로 다시 치안유지법 위반으로 검거되어, 동년 9월 26일 도쿄의 도요타마豊多摩구치소에서 옥사했다. 1964년 고향인 다쓰노시たつの市 시라사기야마白鷺山공원안에 미키 기요시三木清 철학비가 건립되었다.

13

목 차

역자 서문　4

저자 소개　10

1
죽음에 관해　19

2
행복에 관해　31

3
회의에 관해　41

4
습관에 관해　51

5
허영에 관해　61

6
명예심에 관해　69

7
분노에 관해 77

8
인간의 조건에 관해 87

9
고독에 관해 95

10
질투에 관해 101

11
성공에 관해 109

12
명상에 관해 117

목 차

13
소문에 관해 123

14
이기주의에 관해 131

15
건강에 관해 139

16
질서에 관해 147

17
감상에 관해 155

18
가설에 관해 163

19
위선에 관해 171

20
오락에 관해 179

21
희망에 관해 187

22
여행에 관해 193

23
개성에 관해 205

24
후 기 217

1
죽음에 관해

요즘 나는 죽음이라고 하는 것을 별로 두려워하지 않게 되었다. 나이 탓일 것이다. 전에는 그렇게 죽음의 공포에 관해 생각하고, 또 글을 썼지만, 나도 뜻하지 않게 찾아오는 부고장이 점차 많아지는 나이가 되었다. 요 몇 년 동안 나는 여러 차례 근친의 죽음을 경험했다. 그리고 나는 아무리 고통스러운 병자에게도 죽음의 순간에는 평화가 찾아오는 것을 목격했다. 지금은 성묘하러 가도 옛날처럼 음산한 기분이 들지 않고, 묘지를 [Friedhof(평화의 정원-단 어원학語原學과는 관계가 없다)]라고 부르는 것이 감각적인 실감을 정확히 표현하고 있다고 생각하게 되었다.

  나는 병에 걸리는 일은 잘 없지만, 병상에 누었을 때에는 이상하게도 마음의 안정을 느낀다. 아플 때가 아니고 진정한 마음의 안정을 느낄 수 없다고 하는 것은 현대인의 하나의 현저한 특징으로, 이미 현대인에게 극히 특징적인 병의 하나이다.

실제로 요즘 많은 사람들은 컨발레슨스convalenscence(병의 회복)로서밖에 건강을 느끼지 못하는 것이 아닐까? 이것은 젊은이들의 건강에 대한 느낌과는 다르다. 병의 회복기의 건강에 대한 느낌은 자각적이고 불안정하다. 건강이라는 것은 건강한 젊은이들이 자신이 건강하다는 것을 자각하지 않는 상태라고 한다면, 이것은 건강이라고 할 수 없는 상태인 것이다. 이미 르네상스에는 그와 같은 건강이 없었다. 페트라르카[1]등이 경험한 것은 병의 회복기에 느끼는 건강이다. 거기에서 생기는 서정성[2]이 르네상스적 인간을 특징짓고 있다. 그러므로 고전을 부흥하려고 한 르네상스는 고전적이었던 것이 아니라, 오히려 낭만적이었던 것이다. 새로운 고전주의는 그 시대에 탄생한 과학의 정신에 의해서만 가능했다. 르네상스의 고전주의자는 라파엘로[3]가 아니라, 레오나르도 다 빈치[4]였다. 건강이 회복기의 건강으로서밖에 느껴지지 않은 데에, 현대의 근본적인 서정적, 낭만적 성격이 있다. 지금 만일 현대가 새로운 르네상스라고 한다면, 거기에서 나오는 새로운 고전주의의 정신은 어떤 것일까?

사랑하는 사람, 친한 사람이 죽는 일이 많아짐에 따라 죽음의 공포는 반대로 엷어져 간다. 태어나는 사람보다도 죽어가는 사람에게 한층 친근함을 느끼는 것은 연령의 영향에 의하는 것이다. 30대 사람은 40대 사람보다도 20대 사람에게, 그러나 40대에 들어간 사람은 30대 사람보다도 50대 사람에게, 한층 친근하게 느낄 것이다. 40세로 초로初老라고 하는 것은 동양의 지혜를 보여주고 있다. 그것은 단지 신체의 노쇠를 의미하는 것이 아니라, 오히려 정신의 노숙老熟을 의미하고 있다. 이 연령에 이른 사람에게는 죽음이 위로가 되기도 하기 때문이다. 죽음의 공포는 항상 병적으로 과장해서 이야기된다. 지금도 내 마음을 잡고 놓지 않는 파스칼조차도 진실은 죽음의 평화이고, 이 감각은 노숙한 정신 건강의 징표라고 했다. 어떤 경우에도 웃으며 죽어간다고 하는 중국인은 전 세계에서 가장 건강한 국민이 아닌가 생각한다. 괴테가 정의한 바와 같이, 낭만주의라는 것은 모든 병적인 것을 의미한다. 고전주의라고 하는 것이 모든 건강한 것을 가리킨다고 한다면, 죽음의 공포는 낭만적이고, 죽음의 평화는 고전적이라고 할 수도 있을 것이다. 죽음의 평화를 느낄 수 있게 되어야 비로소 삶의 리얼리즘에 도달한다고도 할 수 있을 것이다. 세계 어느 국민보다도 중국인이 현실주의자라고 생각되는 것에는 의미가 있다. "나는 아직도 삶도 제대로 모르는데 어찌 죽음을 알겠느냐?"[9] 라고 한 공자의 말이 중국인의 성격을 배경으로 하였다는 점에서 실감이 배어나는 것 같다. 파스칼은 몽테뉴가[10] 죽음에 대해 무관심하다고 비난했지만, 나는 몽테뉴를 읽고, 그에게는 무엇인가 동양의 지혜와 가까운 것이 있는 것을 느낀다. 최상의 죽음은 미리 생각할 수 없었던 죽음이라고, 그는 쓰고 있다. 중국인과 프랑스인의 죽음에 대한 유사성은 어쨌든 주목할 만하다.

 죽음에 관해 생각하는 것이 무의미하다는 말을 하려는 것은 아니다. 죽음은 관념이다. 그리고 관념다운 관념은 죽음의 입장에서 나오며, 현실감 또는 삶에 대립해서 사상이라고 불리는 그런 사상은 이 입장에서 나오는 것이다. 삶과 죽음을 예리한 대립에서 본 유럽 문화의 지반地盤-거기에는 기독교의 깊은 영향이 있다.-에서 사상이라는 것이 만들어졌다. 이를 근거로 동양에는 사상이 없다고 할 것이다. 그러나 동양에 사상이 없는 것은 아니다. 다만 그 사상이라는 것의 의미가 다르다. 서양 사상에 대해 동양 사상을 주장하려고 할 경우 사상이란 무엇인가라는 인식론[11]적 문제로부터 음미하고 시작할 필요가 있다.

내게 죽음의 공포는 어떻게 해서 엷어졌는가? 그것은 나와 친했던 사람과 사별하는 것이 점차 많아졌기 때문이다.

만일 내가 그들과 재회할 수 있다.-이것은 나의 가장 큰 희망이다.-고 하면 그것은 내가 죽지 않고서는 불가능할 것이다. 가령 내가 백만 년을 산다고 해도 나는 그들과 이 세상에서 다시 만날 수 없다는 것을 알고 있다. 그 가능성은 제로이다. 나는 물론 내가 죽으면 그들과 만날 수 있는 것을 확실히는 알고 있지 않다. 그러나 그 프로버빌리티 probability(개연성)가 제로라고는 아무도 단언할 수 없을 것이다. 왜냐하면 사자의 나라에서 돌아온 사람은 없기 때문이다. 두 개의 개연성을 비교할 때, 후자가 전자보다 가능성이 크다. 만일 내가 어느 쪽에 걸지 않으면 안 된다고 한다면 나는 후자에 걸 수밖에 없을 것이다.

가령 아무도 죽지 않는 것으로 하자. 그렇게 되면 나만은 꼭 죽겠다며 죽음을 기도하는 사람이 틀림없이 나올 것이다. 인간의 허영심은 죽음도 대상으로 삼을 정도로 크다. 그와 같은 인간이 허영적이라는 것은 누구 할 것 없이 즉시 이해하고, 또 비웃을 것이다. 그런데 세상에는 이보다 더한 허영적인 사건이 많은 것을 사람들은 쉽게 깨닫지 못한다.

집착하는 것이 없는 허무의 마음에서 인간은 좀처럼 죽음을 생각하지 않는다. 집착하는 것이 있기에 차마 죽을 수 없다는 것은 집착하는 것이 있어 죽을 수 있다는 것을 의미한다. 깊이 집착하는 것이 있는 사람은 사후 자기가 돌아가야 할 곳을 생각한다. 그래서 죽음에 대해 준비하는 것은 어디까지나 집착하는 것을 만드는 것이다. 나에게 정말 사랑하는 것이 있다면 그것은 나의 영생을 약속한다.

죽음의 문제는 전통의 문제와 연결되어 있다. 사자死者가 부활해서 다시 오래 사는 것을 믿지 않고 전통을 믿을 수 있을까? 부활해서 다시 오래 사는 것은 업적이지 작자는 아니라고 할지도 모른다. 그러나 만들어진 것이 만드는 이보다도 위대하다고 할 수 있을까? 원인은 결과와 적어도 같거나 혹은 보다 큰 것이 자연의 법칙이라고들 생각한다. 그렇다면 그 사람이 만든 것이 부활해서 다시 오래 산다고 하면, 그 사람 자신이 부활해서 다시 오래 사는 힘을 더 이상 가지고 있지 않다는 것을 생각할 수 있을까? 만일 우리가 플라톤의[12]

불사不死보다도 그의 작품의 불멸不滅을 바란다면 그것은 우리 마음의 허영을 말하는 것이어야 한다. 사실 우리는 우리가 사랑하는 사람의 영생보다 그 사람이 이룩한 것이 더 영속적인 것을 원하는 것일까?

원인은 적어도 결과와 같다고 하는 것은 자연의 법칙이며, 역사에서는 역으로 항상 원인보다도 크다고 하는 것이 법칙이라고 할지도 모른다. 만일 그렇다고 하면, 그것은 역사의 보다 우월한 원인이 우리 자신이 아니라 우리를 초월한 것이라고 하는 것을 의미하는 것이어야 한다. 우리를 초월한 것은, 역사 속에서 만들어진 것이 부활해서 다시 오래 사는 것을 바라고, 그것을 만드는 데에 참여하여 원인이었던 것이 부활하거나 다시 오래 사는 것을 결코 바라지 않는다고 생각할 수 있을까? 만일 또 우리 자신이 과거의 것을 부활시키고 오래 살게 하는 것이라고 하면, 이와 같은 힘을 가지고 있는 우리에게 만들어진 것보다도 만드는 것을 부활시키고, 오래 살게 하는 것이 더 힘들다는 것을 생각할 수 있을까? 나는 지금 인간의 불사를 입증하려고도, 혹은 부정하려는 것이 아니다. 내가 말하고자 하는 것은 죽은 자(사자死者)의 생명을 생각하는 것이 산 자(생자生者)의 생명을 생각하는 것보다도 훨씬 논리적이라는 것이다.

죽음은 관념이다. 그러므로 관념의 힘에 의지하여 인생을 살려고 하는 것은 죽음의 사상을 파악하는 것으로부터 출발하는 것이 상례이다. 모든 종교가 그러하다.

전통의 문제는 죽은 자(사자)의 생명의 문제이다. 그것은 살아 있는 사람의 생장[13]의 문제가 아니다. 통속의 전통주의[14]의 오류-이 오류는 셸링[15]이나 헤겔[16]과 같은 독일 최대의 철학자조차도 함께 저지르고 있다.-는 모든 것은 과거로부터 점차 생장해왔다고 생각함으로써 전통주의를 생각하려고 하는 데에 있다. 이와 같은 자연철학적인 견해로부터는 절대적인 진리로서의 전통주의의 의미는 이해될 수 없다. 전통의 의미가 자기 자신으로 자기 자신 속에서 생성하는 것 속에 구해지는 한, 그것은 상대적인 것에 지나지 않는다. 절대적인 전통주의는 살아 있는 이의 생장의 논리가 아니라, 죽어 있는 이의 생명의 논리를 기초로 하는 것이기 때문이다. 과거는 죽음으로 완전히 잘린 것이며, 그것은 이미 죽음이라고 하는 의미에서 현재 살아 있는 것에게 절대적인 것이다. 반쯤 살아 있고 반쯤 죽어 있는 것 같이 보통 막연히 표상되어 있는 과거는 살아 있는 현재에게 절대적인 것일 수 없다. 과거는 무엇보다도 먼저 죽어 있는 것으로 절대적인 것이다. 이 절대적인 것은 그냥 절대적인 죽음인가? 그렇지 않으면 절대적인 생명인가? 죽어 있는 것은 지금 살아 있는 것처럼 생장하지도 않고 노쇠하지도 않는다. 그래서 사자의 생명을 믿을 수 있다면, 그것은 절대적 생명이어야 한다. 이 절대적인 생명이 다름 아닌 진리이다. 따라서 바꿔 말하면, 과거는 진리인가? 그렇지 않으면 무無인가? 전통주의는 마치 이 이자택일에 대한 우리의 결의를 요구하고 있는 것이다. 그것은 우리 속에 자연스럽게 흘러 들어와서 자연스럽게 우리 생명의 일부분이 되어 있다고 생각되는 그런 과거를 문제 삼고 있는 것은 아니다.

이와 같은 전통주의는 소위 역사주의[17]와는 엄밀히 구별되어야 한다. 역사주의는 진화주의[18]와 마찬가지로 근대주의[19]의 하나이며, 그 자체가 진화주의가 될 수 있다. 이런 전통주의는 기독교, 특히 그 원죄설을 배경으로 하여 생각하면 쉽게 이해될 것이다. 그러나 만일 그와 같은 원죄의 관념이 존재하지 않거나 혹은 잃어버렸다고 한다면 어떻게 될 것인가? 이미 페트라르카[20]와 같은 르네상스의 휴머니스트(인문주의자)는 원죄를 원죄로서가 아니라 오히려 병으로 체험했다. 니체[21]는 물론, 지드[22]와 같은 오늘날의 휴머니스트에서 찾을 수 있는 것도 동일한 의미의 병의 체험이다. 병의 체험이 원죄의 체험을 대신한 것에 근대주의의 시작과 끝이 있다.

휴머니즘(인문주의)은 죄의 관념이 아니라, 병의 관념에서 출발하는 것일까? 죄와 병의 차이는 어디에 있는 것일까? 죄는 죽음이고, 병은 여전히 삶일까? 죽음은 관념이고, 병은 체험일까? 여하튼 병의 관념에서 전통주의를 도출하는 것은 불가능하다. 그렇다면 죄의 관념이 존재하지 않는 동양사상에서 전통주의라고 하는 것은, 그리고 휴머니즘이라고 하는 것은 어떤 것일까? 문제는 죽음에 대한 견해와 관련되어 있다.

2 행복에 관해

오늘날 사람들은 행복에 관해 거의 생각하지 않는 것 같다. 시험 삼아 최근 출간된 윤리학서, 특히 우리나라(일본)에서 쓰인 윤리 책을 펼쳐 보라. 단 한군데라도 행복의 문제를 다루고 있는 책을 발견하는 것은 매우 어려울 것이다. 이런 서책을 윤리 책이라고 믿어도 될지 어떨지, 그 저자를 윤리학자로 인정해야 할 것인지 어떨지, 나는 모르겠다. 의심할 여지없이 확실한 것은 과거의 모든 시대는 항상 행복이 윤리의 중심 문제였다고 하는 것이다. 그리스의 고전적인 윤리학이 그러했고, 스토아의 엄숙주의와[1] 같은 것도 행복을 위해 절욕節欲을 주장한 것이며, 기독교에서도 아우구스티누스나 파스칼[2] 등은, 인간은 어디까지나 행복을 추구한다고 하는 사실을 근본으로 그들의 종교론이나 윤리학이 출발한 것이다. 행복에 관해 생각하지 않는 것은 오늘날 사람들의 특징이다. 현대에서 윤리의 혼란은 다종다양하게 논해지고 있는데, 윤리 책에서 행복론이 상실되었다고 하는 것은 이 혼란을 대표하는 사실이다. 새로이 행복론이 설정될 때까지는 윤리의 혼란은 수습되지 않을 것이다.

　행복에 관해 생각하는 것은 이미 하나의, 아마도 최대의 불행의 징조라고 할지도 모른다. 건강한 위를 가지고 있는 사람이 위의 존재를 느끼지 않는 것처럼, 행복한 사람은 행복에 관해 생각하지 않는다고 할 것이다. 그러나 오늘날 사람들은 과연 행복하기 때문에 행복에 관해 생각하지 않는 것일까? 오히려 이 시대는 사람들에게 행복에 관해 생각하는 기력조차 잃어버릴 정도로 불행한 것이 아닐까? 행복을 이야기하는 것이 이미 무슨 부도덕한 것처럼 느껴질 정도로 지금 세상은 불행으로 가득 차 있는 것은 아닐까? 그러나 행복을 모르는 사람이 불행이 무엇인지 말할 수 있을까? 요즘 사람들은 매사 본능적으로 행복을 추구하고 있다. 게다가 요즘사람들은 자의식自意識 과잉으로 고통 받고 있다고도 한다. 자의식이 매우 강한 사람은 행복에 관해서는 거의 생각하지 않는다. 이것이 현대인의 정신적인 상황이며, 현대인의 불행을 특징짓고 있다.

양심의 의무와 행복의 요구를 대립적으로 생각하는 것은 근대적 리거리즘rigorism(엄숙주의, 엄격주의)이다. 이에 반해 오늘날의 양심이란 행복의 요구라고 생각한다. 사회, 계급, 인류, 등등, 모든 것의 이름에서 인간적인 행복의 요구가 말살되려고 하는 경우, 행복의 요구만큼 양심적인 것이 있을까? 행복의 요구와 결부되지 않는 한, 오늘날 윤리의 개념으로 끊임없이 유용되고 있는 사회, 계급, 인류 등도 어떤 윤리적인 의미를 가질 수 없을 것이다. 혹은 윤리의 문제가 행복의 문제로부터 분리됨과 동시에 모든 임의의 것을 윤리의 개념으로 유용하는 것이 가능해졌기 때문이다. 행복의 요구가 오늘날의 양심으로 복권되지 않으면 안 된다. 사람이 휴머니스트인가 어떤가는 주로 이 점과 관련을 맺고 있다.

행복의 문제가 윤리의 문제로부터 말살됨에 따라, 많은 윤리적 공어述語를 만들었다. 예를 들어, 윤리적이라고 하는 것과 주체적이라는 것을 함께 이야기하는 것은 맞다. 그러나 주체적이라고 하는 것도 오늘날은 행복의 요구로부터 추상화됨으로써 하나의 윤리적 공어가 되었다. 그래서 다시 현대 윤리학[3]으로부터 말살되려고 하고 있는 것은 동기론動機論[4]이며, 주체적이라는 말의 유행과 함께 윤리학은 오히려 객관론에 빠지게 되었다. 행복의 추구가 모든 행위의 동기라는 것은 이전의 윤리학의 공통 출발점이었다. 현대 철학은 이러한 사고방식을 심리주의라고 명명하고 배척했으나, 한편에서는 현대인의 심리의 무질서가 시작된 것이다. 이 무질서는 자기 행위의 동기가 행복의 요구인지 어떤지 알 수 없게 되었을 때 시작되었다. 그리고 그것과 동시에 심리의 리얼리티reality(현실성)가 믿어지지 않게 되면서, 인간 해석에 관해 모든 종류의 관념주의가 생겼다.[5]

심리의 리얼리티는 심리 속에 질서가 존재하는 경우에 명백해진다. 행복의 요구는 그 질서의 기저이며, 심리의 리얼리티는 행복 요구의 사실 속에 부여되어 있다. 행복론을 말살한 윤리는 일견 아무리 논리적이라고 하더라도, 그 내실은 다름 아닌 허무주의이다.[6][7]

이전의 심리학은 심리비평의 학문이었다. 그것은 예술비평과 같이 비평의 의미에서 심리비평을 목적으로 하고 있었다. 인간 정신의 모든 활동, 모든 측면을 평가함으로써 여기에 질서를 부여하는 것이 심리학의 일이었다. 심리학에서 철학자는 문학자와 같았다. 이러한 가치 비평으로서의 심리학이 자연과학적 방법에 기초한 심리학에 의해 파괴되어 버리는 위험이 생겼을 때, 이것에 반항하여 나타난 것이 인간학[8]이다. 그런데 이 인간학도 오늘날은 최초의 동기에서 일탈하여 인간의 심리를 비평한다는 고유의 의미를 포기하고, 모든 임의의 것이 인간학이라고 불리게 되었다. 철학에서 예술가적인 것이 상실되면서, 심리비평은 단지 문학자에게만 맡겨지게 되었다. 철학에 심리학이 없는 것이 오늘날 철학의 추상성이 있다. 그때 놓쳐서는 안 되는 것은 현대철학의 하나의 특징이 행복론의 말살과 관련이 있다고 하는 것이다.

행복을 단지 감성적인 것이라고 생각하는 것은 틀린 생각이다. 오히려 주지주의主知主義[9]가 윤리상의 행복설과 결부되는 것이 상례인 것을 사상의 역사는 보여주고 있다. 행복의 문제는 주지주의로서 최대의 지주支柱라고도 할 수 있다. 만일 행복론을 말살하려고 덤비면 주지주의를 액살(교살)하는 것은 용이하다. 실제로 오늘날의 반주지주의[10] 사상의 거의 대부분은 모두 이와 같이 행복론을 말살하는 것에서 출발하고 있다. 거기에 오늘날의 반주지주의의 비밀이 있다.

행복은 덕德에 반하는 것이 아니라, 오히려 행복 그 자체가 덕이다. 물론 타인의 행복에 관해 생각해야 하는 것은 맞다. 그러나 우리는 우리가 사랑하는 사람의 행복을 자기가 행복한 것 보다 더 좋은 것이라 할 수 있을까? 사랑하는 것을 위해 죽었기 때문에 그들이 행복했던 것이 아니라, 반대로 그들은 행복했기에 사랑하는 사람을 위해 죽는 힘을 가졌던 것이다. 일상의 사소한 일로부터 기꺼이 자신을 희생할 때 모든 사항에서 행복은 힘이다. 덕德이 힘이라고 하는 것은 행복이 무엇보다도 잘 보여주는 점이다.

죽음은 관념이라고 나는 썼다. 그렇다면 삶은 무엇일까? 삶은 상상이라고 나는 말하려고 한다. 아무리 삶의 현실성을 주장하는 사람도 갑자기 태도를 바꾸어 이것을 죽음과 비교할 때, 삶이 얼마나 상상적인 것인가를 이해할 것이다. 상상적인 것은 비현실적인 것이 아니라, 오히려 현실적인 것은 상상적인 것이다. 현실은 내가 말하는 구상력(상상력)의 논리에 따르고 있다. 인생은 꿈이라는 것을 누가 모르겠는가? 그것은 단순한 비유가 아니다, 그것은 실감이다. 이 실감의 근거를 분명히 하지 않으면 안 된다. 바꿔 말하면, 꿈 또는 공상적인 것의 현실성이 제시되어야 한다. 그 증명을 제공하는 것은 구상력의 형성 작용이다. 삶이 상상적인 것이라는 의미에서 행복도 상상적인 것이라고 할 수 있다.

인간을 일반적인 것으로 이해하기 위해서는 죽음으로부터 이해하는 것이 필요하다. 죽음은 원래 완전히 구체적인 것이다. 그러나 이 완전히 구체적인 죽음은 그럼에도 불구하고 일반적인 것이다.

"사람은 그냥 혼자 죽는 것이다." 라고 파스칼은 말했다. 사람은 모두 제각각의 죽음을 맞는다. 그러나 그 죽음은 그럼에도 불구하고 죽음으로서 일반적인 것이다. 인간의 조상이 아담이라는 사상은 여기에 근거를 두고 있다. 죽음이 지닌 이 불가사의한 일반성이야 말로 우리를 곤혹스럽게 하는 것이다. 죽음의 일반성은 사람을 분리한다. 사람들은 그냥 혼자서 죽기 때문에 고독한 것이 아니라, 죽음이 일반적인 것이기 때문에 사람들은 죽음을 만나 고독한 것이다. 내가 살아남고 그대가 혼자 죽는다고 해도 만일 그대의 죽음이 일반적인 것이 아니라면, 나는 그대의 죽음으로 고독을 느끼지 않을 것이다.

    그런데 삶은 항상 특수한 것이다. 일반적인 죽음이 분리되는 것에 반해, 특수한 삶은 결합한다. 죽음은 일반적인 것이라는 의미에서 관념이고, 삶은 특수한 것이라는 의미에서 상상이라고 할 수 있다. 우리의 상상력은 특수한 것에 있어서만 즐긴다.-예술가는 본성상 다신론자이다.-원래 인간은 단지 특수한 것이 아니라, 동시에 일반적인 것이다. 그러나 삶이 지닌 일반성은 죽음이 지닌 일반성과는 다르다. 죽음의 일반성이 관념이 지닌 일반성과 유사하다면 삶의 일반성은 상상력에 관련된 타입의 일반성과 같은 것이다. 개성이란 별도로 타입이 있는 것이 아니라, 타입은 개성이다. 죽음 그 자체에는 타입이 없다. 죽음의 타입을 생각하는 것은 죽음을 여전히 삶으로부터 생각하기 때문이다. 개성은 다양한 것의 통일이지만, 상호 모순되는 다양한 것을 통일시켜 하나의 형태로 형성하는 것이 다름 아닌 구상력이다. 감성으로부터도 지성으로부터도 생각할 수 없는 개성은 구상력을 통해 생각되어야 한다. 삶과 마찬가지로 행복이 상상이라고 하는 것은 개성이 행복인 것을 의미한다.

자연은 그 발전 단계가 높아짐에 따라 더욱 더 많은 개성으로 분화한다. 그것은 어둠에서 빛을 찾아 창조하는 자연의 근원적인 욕구가 어떤 것인지를 말해 준다.

"인격은 이 땅의 자녀들의 최고의 행복이다."고 하는 괴테의 말만큼 행복에 관한 완전한 정의는 없다. 행복해진다고 하는 것은 인격이 된다는 것이다. 행복이 육체적 쾌락에 있는지, 정신적 쾌락에 있는지, 활동에 있는지, 존재에 있는지와 같은 물음은 우리를 그냥 분규에 끌어들일 뿐이다. 이와 같은 질문에 대해서는 그 어느 쪽도 해당된다고 대답할 수밖에 없을 것이다. 왜냐하면 인격은 육체인 동시에 정신이며, 활동이면서도 존재이기 때문이다. 그리고 이러한 것은 인격이라는 것이 형성되어가는 것을 의미한다.

오늘날 사람들이 행복에 관해 생각하지 않는 것은 인격 분해의 시대라고 불리는 현대의 특징과 상응한다. 그리고 이 사실은 역으로 행복이 인격이라는 명제를 세계사적 규모로 증명하는 것이다.

행복은 인격이다. 사람들이 외투를 벗어던지는 것처럼, 언제나 홀가분하게 다른 행복을 벗어던질 수 있는 자가 가장 행복한 사람이다. 그러나 진정한 행복은 버리지 못한다. 버리고 갈 수가 없는 것이다. 그의 행복은 그의 생명과 마찬가지로 그 자신과 하나인 것이다. 행복은 인격이다. 사람들이 외투를 벗어던지는 것처럼, 언제나 홀가분하게 다른 행복을 벗어던질 수 있는 자가 가장 행복한 사람이다. 이 행복을 위해 그는 모든 곤란과 싸우는 것이다. 행복을 무기로 싸우는 자만이 쓰러져도 여전히 행복하다.

기분이 좋은 것, 공손한 것, 친절한 것, 관대한 것, 등등, 행복은 항상 밖으로 나타난다. 시를 짓지 않는 시인은 진정한 시인이 아닌 것처럼, 단지 내면에 있는 그런 행복은 진정한 행복이 아닐 것이다. 행복은 표현하는 것이다. 새가 노래하는 것처럼 저절로 밖으로 나타나서 다른 사람을 행복하게 만드는 것이 진정한 행복이다.

3

회의에 관해

회의懷疑의 의미를 정확하게 판단하는 것은 쉽지 않아 보인다. 어떤 경우에는 회의는 신비화되어, 거기에서 하나의 종교가 발생하게 된다. 모든 신비를 제거하는 것이 회의일 터인데, 어떤 경우에는 회의라고 하는 이유로 가차 없이 부도덕하다고 폄하한다. 회의는 지성의 하나의 덕德일 수 있을 터인데. 전자의 경우, 회의 그 자체가 하나의 독단이 된다. 후자의 경우, 회의를 처음부터 내팽개치려고 하는 것도 역시 독단이다.

어느 쪽이든 확실한 것은 회의가 특히 인간적이라고 하는 점이다. 하나님에게는 회의는 없을 것이다. 또 동물에게도 회의는 없을 것이다. 회의는 천사도 아니고, 짐승도 아닌 인간에게 고유한 것이다. 인간의 지성이 동물보다 뛰어난 것은 회의에 의해 특색지을 수 있을 것이다. 실제로 다소라도 회의적이 아닌 그런 지성인이 있을까? 그리고 독단가는 어떤 경우에는 천사처럼 보이고, 어떤 경우에는 짐승처럼 보이지 않을까?

인간적 지성의 자유는 당분간은 회의 안에 있다. 자유인이라고 불리는 사람으로 회의적이지 않았던 사람을 나는 모른다.

유명한 오네톰[1](참사람;성실한 사람)이라고 불린 사람에게는 모두 회의적인 면이 있었고, 그리고 그것은 자유인을 의미한 것이다. 그런데 철학자가 자유의 개념을 어떻게 규정하든 현실의 인간적인 자유는 절도 안에 있다. 고전적인 휴머니즘에 있어서 가장 중요한 덕(德)이었던 이 절도라는 것은 현대 사상에서는 드물게 되었다.

회의가 지성의 덕(德)이기 위해서는 절도가 없으면 안 된다. 일반적으로 사상가의 절도라고 하는 것이 문제이다. 몽테뉴의 최대 지혜는 회의에 절도가 있다고 하는 것이다. 실로, 절도를 모르는 그런 회의는 진정한 회의가 아닐 것이다. 도를 넘은 회의는 순수하게 회의에 머무르고 있는 것이 아니라, 하나의 철학설로서의 회의론이던지[2],

그렇지 않으면 회의의 신비화, 종교화에 빠져 있는 것이다. 그 어느 쪽도 더 이상 회의가 아니고 하나의 독단이다.

회의는 지성의 덕德으로 인간 정신을 정화한다. 마치 우는 것이 생리적으로 우리의 감정을 정화하는 것처럼. 그러나 회의 그 자체는 우는 것과 유사하기보다도 웃는 것과 유사할 것이다. 웃음은 동물에게는 없는 인간적인 표정이라고 한다면, 회의와 웃음 사이에 유사성이 존재하는 것은 자연스럽다. 웃음도 우리의 감정을 정화할 수 있다. 회의론자에게 찡그린 표정만 있는 것은 아니다. 지성에 고유한 쾌활함을 지니지 않은 회의는 진정한 회의가 아닐 것이다.

진정한 회의론자는 소피스트[3]가 아니라, 소크라테스[4]였다. 소크라테스는 회의가 바로 무한의 탐구라는 것을 보여주었다. 그는 또 진정한 비극가는 진정한 희극가인 것을 보여준 것이다.

종래 철학 중에서 영속적인 생명을 지닌 것 중에 어떤 회의적인 내용을 포함하지 않는 것이 있을까? 단지 하나의 위대한 예외는 헤겔[5]이다. 헤겔 철학은 역사가 보여주는 바와 같이, 일시적으로는 열광적인 신봉자를 만들지만, 얼마 안 있어 돌아보지 않게 된다는 특질을 구비하고 있다. 이 사실 속에 아마도 헤겔 철학의 비밀이 있다.

논리학자는 논리의 근저에 직관[6]이 있다고 한다. 사람은 무한히 그 자신을 증명해 나갈 수 없고, 모든 논증은 더 이상 그 자신을 논증할 수 없다. 직관적으로 확실한 것일 때 그것을 전제로 추론한다고 말한다. 그러나 논리의 근저에 있는 직관적인 것이 항상 확실한 것이라고 하는 증명은 존재하는 것일까? 만일 그것이 항상 확실한 것이라고 한다면, 왜 사람은 그 직관에 머무르지 않고 논리가 필요한 것일까? 확실한 것의 직관이 있을 뿐만 아니라, 불확실한 것의 직관이 있는 것처럼 생각된다. 직관을 항상 의심하는 것은 어리석은 일이지만, 직관을 항상 믿는 것도 미숙한 일이다. 그리고 통상 말하는 것과는 역으로, 감성적인 직관이 그 자체의 종류에서 보면 확실한 직관인 것에 대해, 지성적인 직관의 특징은 오히려 불확실한 것의 직관에 존재하는 것처럼도 생각된다. 확실한 것의 직관은-감성적인 것이든, 감성을 초월하는 것이든 간에,- 그 자체에 있어서는 논리의 증명을 필요로 하지 않는 것에 반해, 불확실한 것의 직관-회의적 직관 또는 직관적 회의-이야 말로 논리를 필요로 하는 것, 논리를 움직이는 것이다. 논리에 의해 회의가 나오는 것이 아니라, 회의로부터 논리가 요구되는 것이다. 이와 같이 논리를 구하는 곳에 지성의 긍지가 있고, 자기 존중이 있다. 소위 논리주의자는 공식주의자 公式主義者이며, 독단주의자의 하나의 종류에 지나지 않는다.

불확실한 것은 확실한 것의 기초다. 철학자는 자기 안에 회의가 살아 있는 한, 철학을 하고 글을 쓴다. 처음부터 철학자는 불확실한 것을 위해 일하는 것이 아니다. "사람은 불확실한 것을 위해 일한다." 라고 파스칼은 쓰고 있다. 그러나 정확히 말하면, 사람은 불확실한 것을 위해 일하는 것이 아니라 오히려 불확실한 것으로부터 일하는 것이다. 인생은 단지 움직이는 것이 아니라 만드는 것이고, 단순한 존재가 아니라 형성 작용이며, 또 그렇지 않으면 안 되는 이유이다. 그리고 사람은 불확실한 것으로부터 일한다고 하는 점에서 모든 형성 작용의 근거에 도박의 논리가 필요한 것일까?

독단에 대해 회의가 힘이 있거나 힘이 없거나 하는 것은, 정념에 대해 지성이 힘이 있거나 힘이 없는 것을 말한다. 독단은 그것이 하나의 도박일 경우에만 지성적일 수 있다. 정념은 항상 긍정적이며, 독단의 대부분은 정념에 기초해 있다.

많은 회의론자는 외견에 나타날 정도로 회의론자가 아니다. 그리고 많은 독단주의자는 외견에 나타날 정도로 독단주의자는 아니다.

사람은 때로는 타인에 대한 허영에서 회의적으로 되지만, 타인에 대한 허영 때문에 더 많이 독단적이 된다. 그리고 다른 한편으로 인간의 정치적 욕망, 즉 타인에 대한 지배의 욕망이 보편적인 것을 보여줌과 동시에, 교육적 욕망 또한 보편적인 것을 보여준다. 정치에서는 독단도 필요할 것이다. 그러나 교육의 경우도 마찬가지로 독단이 필요할지 어떨지는 의문이다. 다만, 정치적 욕망을 포함하지 않는 그런 교육적 욕망이 드문 것은 확실하다.

어떤 사람도 타인을 믿게 할 수 있을 정도로 자기 자신을 믿게 할 수 없다. 타인을 신앙으로 이끄는 종교인은 반드시 회의가 전혀 없는 인간은 아니다. 그가 다른 사람에게 침투하는 힘은 오히려 그 절반을 그 자신 속에 여전히 살아 있는 회의에 의지하고 있다. 적어도 그렇지 않은 종교인은 사상가라고는 하지 않을 것이다..

스스로는 의심하면서 발표한 의견이 타인에 의해 자신이 의심하고 있지 않는 것으로 된 경우가 있다. 그와 같은 경우에는 결국 자신도 그 의견을 믿게 되는 것이다. 신앙의 근원은 타자에 있다. 그것은 종교의 경우도 그러하고, 종교인은 자기 신앙의 근원은 하나님에게 있다고 말한다.

회의라고 하는 것은 산문으로밖에 나타낼 수 없다. 그것은 회의의 성질을 보여줌과 동시에 역으로 산문 고유의 재미와 어려움이

어디에 있는지 보여주고 있다.

진정한 회의론자는 논리를 추구한다. 그런데 독단주의자는 전혀 논증하지 않거나, 단지 형식적으로 논증할 뿐이다. 독단주의자는 상당히 자주 패배주의적 성향을 보이는 지성의 패배주의자이다. 그는 외견에 나타날 정도로 결코 강하지는 않다. 그는 타인에 대해서도 자기에 대해서도 강한 체하지 않으면 안 될 만큼 약한 것이다.

사람은 패배주의⁷⁾에서 독단주의자가 된다. 그리고 사람은 절망에서 독단주의자가 된다. 절망과 회의는 같지 않다. 다만 지성이 더해지는 경우에만 절망은 회의로 바뀔 수 있지만, 이것은 생각하는 것만큼 쉽지는 않다.

순수하게 회의에 머무르는 것은 어렵다. 사람이 회의하기 시작 시작하면 정념이 그를 붙잡기 위해 기다리고 있다. 그러므로 진정한 회의는 청춘의 것이 아니라 오히려 정신의 성숙을 보여주는 것이다. 청춘의 회의는 끊임없이 감상에 수반되어 감상으로 변해간다.

회의에는 절도가 있어야 한다. 절도 있는 회의만이 진정한 회의라고 부를 가치가 있다는 것은 회의가 방법인 것을 의미한다. 회의가 방법인 것은 데카르트[8]에 의해 확인된 진리이다. 데카르트의 회의는 일견 생각되는 것처럼 극단적인 것이 아니고, 항상 주의 깊게 절도를 지킨다. 이러한 점에서도 그는 휴머니스트였다. 그가 『방법서설』[9] 제3부에서 도덕론을 잠정적인 혹은 임시변통의 것이라고 칭한 것은 매우 특징적이다.

방법에 관한 숙달은 교양 중에서 가장 중요한 것이지만, 회의에서 절도가 있다는 것만큼 결정적인 교양의 징표를 나는 모른다. 그런데 세상에는 더 이상 회의하는 힘을 잃어버린 교양인, 혹은 한 번 회의적으로 되면 더 이상 방법론적으로 생각할 수 없는 교양인이 많다. 모두 딜레탕티즘[10]에 빠진 교양의 데카당스[11]이다.

회의가 방법인 것을 이해한 사람이야 말로 독단도 방법인 것을 비로소 이해할 수 있다. 전의 일을 먼저 이해하지 않고, 나중의 일만을 주장하는 사람이 있다고 한다면, 그는 아직 방법이 어떤 것인지를 이해하지 못하는 것이다.

회의는 한 곳에 머무른다고 하는 것은 잘못된 생각이다. 정신의 습관성을 깨는 것이 회의이다. 정신이 습관적으로 된다는 것은 정신 속에 자연이 흘러들어오는 것을 의미한다. 회의는 정신의 오토마티즘[12]을 깨는 것으로 이미 자연에 대한 지성의 승리를 나타내고 있다. 불확실한 것이 근원이고 확실한 것은 목적이다. 확실한 것은 모두 형성된 것이고 결과이며, 단초로서의 원리는 불확실한 것이다. 회의는 근원에 대해 관계를 부여하는 것이며, 독단은 목적에 대해 관계를 부여하는 것이다. 이론가가 회의적인 것에 대해 실천가는 독단적이며, 동기론자動機論者가 회의주의자인 것에 대해 결과론자結果論者[13]는 독단주의자이라는 것이 상례인 것은 이것에 기인하는 것이다. 그러나 독단도 회의도 모두 방법이어야 하는 것을 이해해야 한다.

긍정은 부정에서 오는 것 처럼 물질은 정신에서 오며, 독단은 회의에서 오는 것이다.

모든 회의에도 불구하고 인생은 확실한 것이다. 왜냐하면, 인생은 형성 작용이기 때문에 단지 존재하는 것이 아니라 만들어지는 것이기 때문이다.

4

습관에 관해

인생은 어떤 의미에서 습관이 모든 것이다. 그 이유는 생명이 있는 모든 것은 형태를 가지고 있고, 생명이라는 것은 형태라고 할 수 있다. 그런데 습관은 그 행위에 형태가 생기는 것이다. 물론 습관은 단지 공간적인 형태가 아니다. 단지 공간적인 형태가 죽은 것이다. 습관은 살아 있는 형태이며, 단지 공간적인 것이 아니라, 공간적인 것과 동시에 시간적, 시간적인 것과 동시에 공간적인 것, 즉 변증법적¹⁾ 형태이다. 시간적으로 움직여 가는 것이 동시에 공간적으로 머무르고 있다는 데에 생명적인 형태가 만들어진다. 습관은 기계적인 것이 아니라 어디까지나 생명적인 것이다. 그것은 형태를 만드는 생명의 내적이고 본질적인 작용에 속한다.

일반적으로 습관은 같은 행위를 반복함으로써 생긴다고 한다. 그러나 엄밀하게 말하면, 인간의 행위가 완전히 동일한 것은 없을 것이다. 개개의 행위에는 항상 우연적인 데가 있다. 우리 행위는 우연적이고, 자유로운 것이기 때문에 습관도 만들어지는 것이다. 습관은 동일한 것의 반복에 의한 물리적인 결과가 아니다. 확정적인 것은 불확정한 것에서 나온다. 개개의 행위가 우연적이기 때문에 습관도 생기는 것이다. 습관은 다수의 우연적인 행위로, 말하자면 통계적인 규칙성이다. 자연 법칙도 통계적인 성질의 것인 이상, 습관은 자연이라고 할 수 있다. 습관이 자연이라고 생각되는 것처럼 자연도 습관이다. 다만 습관이라고 할 경우, 자연은 구체적으로 형태로서 보이지 않으면 안 된다.

모방과 습관은 어떤 의미에서 상반되지만, 어떤 의미에서는 동일한 것이다. 모방은 특히 외부의 것, 새로운 것의 모방으로 유행의 원인이라고 한다. 습관은 전통적인 것이며, 습관을 깨는 것은 유행이다. 유행만큼 쉽게 습관을 깰 수 있는 것은 없을 것이다. 그러나 습관도 그 자체가 하나의 모방이다. 그것은 내부의 것, 오래된 것의 모방이다. 습관에서 자기는 자기를 모방한다. 자기가 자기를 모방하는 데에서 습관이 만들어진다. 유행이 수평적인 모방이라고 한다면, 습관은 수직적인 모방이다. 여하튼 습관도 이미 모방인 이상, 습관에 있어서도 우리의 하나의 행위는 다른 행위에 대해 외부에 있는 것과 마찬가지로 독립적이어야 한다.

습관을 단지 연속적인 것으로 생각하는 것은 잘못이다. 비연속적인 것과동시에 연속적이며, 연속적인 것과 동시에 비연속적인 데에 습관이 생긴다. 즉 습관은 생명의 법칙을 나타내고 있다.

　습관과 마찬가지로 유행도 생명의 하나의 형식이다. 생명은 형성 작용이며, 모방은 생명을 형성하는 하나의 근본적인 방법이다. 생명이 형성 작용~Bildung~²⁾이라고 하는 것은, 그것이 교육~Bildung~인 것을 의미한다. 교육에 대한 모방의 의의에 관해서는 예로부터 자주 이야기되고 있다. 그때, 습관이 하나의 모방인 것을 생각함과 동시에 유행이 모방으로서 얼마나 중요한 교육적 가치를 지니고 있는가에 관해 생각하는 것은 중요하다.

　유행이 환경에서 규정되는 것처럼 습관도 환경에서 규정되고 있다. 습관은 주체의 환경에 대한 작업적 적응으로 생긴다. 다만 유행의 주체는 환경에 비해 더 많이 수동적인 것에 반해 습관은 더 많이 능동적이다. 습관의 이런 힘은 형태의 힘이다. 그러나 유행이 습관을 깰 수 있다는 것은, 그 습관의 형태가 주체와 환경의 관계에서 생긴 변증법적인 것이기 때문이다. 유행의 이러한 힘은, 그것이 습관과 상반되는 방향의 것이라는 것에 기반을 두고 있다. 유행은 최대의 적응력을 가지고 있는 인간에게 특징적이다. 습관이 자연적인 것에 대해, 유행은 지성적인 것이라고도 생각할 수 있을 것이다.

습관은 자기 모방으로, 자기에 대한 적응임과 동시에 자기 환경에 대한 적응이다. 유행은 환경의 모방으로, 자기 환경에 대한 적응에서 나오는 것인데, 유행에도 자기 모방한다는 부분이 있다.

우리가 유행을 따르는 것은 자기에게 교태를 부리는 무엇인가가 있기 때문이다. 다만, 유행이 형태로서는 불안정하고, 형태가 없다고 이야기하는 것에 반해, 습관은 형태로서 안정되어 있다. 습관이 형태로서 안정되어 있다는 것은 습관이 기술技術인 것을 의미한다. 형태는 기술적으로 만들어지는 것이다. 그런데 유행에는 이와 같은 기술적인 능동성이 결여되어 있다.

하나의 정념을 지배할 수 있는 것은 이성이 아니라 다른 정념이라고 한다. 그러나 사실은 습관이야 말로 정념을 지배할 수 있는 것이다. 하나의 정념을 지배할 수 있는 것은 이성이 아니라 다른 정념이라고 한다면 그런 정념의 힘은 어디에 있는 것일까? 그것은 단지 정념 속에 있는 것이 아니라 오히려 정념이 습관이 되는 데에 있다. 내가 두려워하는 것은 그의 증오가 아니라 나에 대한 그의 증오가 습관이 되고 있다는 점이다. 습관에 의해 형태가 만들어지는 것이 아니면 정념도 힘이 없다. 하나의 습관은 다른 습관을 만듦으로써 깨진다. 습관을 지배할 수 있는 것은 이성이 아니라 다른 습관이다. 바꿔 말하면, 하나의 형태를 진정으로 극복할 수 있는 것은 다른 형태이다. 유행도 습관이 되기까지는 불안정한 힘에 불과하다. 정념은 그 자체로서는 형태가 갖추어지지 않은 것이며, 습관에 대한 정념의 무력함은 거기에 있다. 하나의 정념이 다른 정념을 지배할 수 있는 것도 지성이 더해짐으로써 만들어지는 질서의 힘에 기초하고 있다. 정념은 형태가 갖추어지지 않은 자연적인 것이다. 정념에 대한 형태의 지배는 자연에 대한 정신의 지배이다. 습관도 형태로서 단순한 자연이 아니라 이미 정신이다.

형태를 단지 공간적인 형태로서밖에, 따라서 물질적인 형태로서밖에 표상할 수 없다는 것은 근대의 기계적인 오성悟性을 의미한다. 오히려 정신이야 말로 형태이다. 그리스의 고전적 철학은 물질은 무한정한 질료質料이며, 정신은 형상形相이라고 생각했다.[3] 현대의 생의 철학[4]은 역으로 정신적 생명 그 자체를 무한정한 유동流動과 같이 생각하고 있다. 이러한 점에서 생의 철학도 형태에 관한 근대의 기계적인 사고방식에 영향을 받고 있다. 그러나 정신을 형상이라고 생각한 그리스 철학은 형상을 여전히 공간적으로 표상했다. 동양의 전통적 문화는 습관의 문화라고 할 수 있다. 습관이 자연인 것처럼 동양

문화의 근저에 있는 것은 어떤 자연이다. 또 습관이 단순한 자연이 아니라 문화인 것처럼 동양적 자연은 동시에 문화의 의미를 지니고 있다. 문화주의적인 서양에 있어서 형태가 공간적으로 표상된 것에 대해, 자연주의적인 동양의 문화는 오히려 정신의 진정한 정신적인 형태를 추구했다. 그러나 이미 형태라고 하는 이상, 그것은 순수한 정신일 수 있을까? 습관이 자연이라고 보이는 것처럼, 정신의 형태라고 해도 동시에 자연의 의미가 없으면 안 된다. 습관은 단순한 정신도 단순한 신체도 아닌 구체적인 생명의 내적인 법칙이다. 습관은 순수하게 정신적 활동 속에서도 발견되는 자연적인 것이다.

사유의 범주라고 하는 것을 흄이[5] 습관에서 설명한 것은, 현대의 인식론이 비평하는 것처럼 그렇게 웃어야 할 일인지 어떤지 나는 모른다. 단지 범주의 논리적인 의미가 아닌 존재론적인 의미를 생각하려는 경우, 그것을 습관으로부터 설명하는 것보다도 한층 적절히 설명하는 방식이 있는지 어떤지 나는 모른다. 다만 그때, 습관을 단순한 경험에서 생기는 것처럼 생각하는 기계적인 견해를 배제하는 것이 필요하다. 경험론은[6] 기계론이기[7] 때문에 잘못되었다. 경험의 반복이라는 것은 습관의 본질에 관한 설명으로서 항상 불충분하다. 돌은 설령 백만 번 같은 방향으로 같은 속도로 던져진다고 하더라도 그 때문에 습관을 얻지 못한다. 습관은 생명의 내적인 경향에 속한다. 경험론에 반대하는 선험론先驗論은[8] 통상 경험을 습관의 영향이 전혀 없는 감각과 동일시한다. 감각을 환기시키는 작용 속에 나타나는 습관으로부터 영향을 받지 않는 그런 지식의 '내용'이라는 것이 존재할까? 습관은 사유 속에도 작용한다.

사회적 습관으로서의 습관이 도덕이며, 권위를 가지고 있는 것은 단지 그것이 사회적인 것에 의존하는 것이 아니라 오히려 그것이 표현적인 것으로 형태인 것에 기반을 두는 것이다. 어떤 형태도 항상 초월적 의미를 지니고 있다. 형태를 만드는 생명의 본질적 작용은 생명에 내재하는 초월적 경향을 보여준다. 그러나 형태를 만드는 것은 동시에 생명이 자기를 부정하는 것이다. 생명은 형태에 의해 살고 형태에 의해 죽는다. 생명은 습관에 의해 살고 습관에 의해 죽는다. 죽음은 습관의 극한이다.

습관을 자유로 할 수 있는 사람은 인생에서 많은 것을 이룩할 수 있다. 습관은 기술적技術的인 것이기 때문에 자유롭게 할 수 있다. 원래 대개의 습관은 무의식적인 기술이지만, 이것을 무의식적으로 기술적으로 자유롭게 하는 데에 도덕이 있다. 수양修養이라는 것은 이와 같은 기술이다. 만일 습관이 단지 자연이라면 습관이 도덕이라고는 할 수 없을 것이다. 모든 도덕에는 기술적인 것이 있다는 것을 이해하는 것이 중요하다. 습관은 우리에게 가장 가까이 있는 것, 우리의 힘 안에 있는 수단이다.

습관이 기술인 것처럼 모든 기술은 습관적이 됨으로써 진정으로 기술이라고 할 수 있다. 어떤 천재도 습관에 의한 것이 아니면 아무것도 성취할 수 없다.

종래 수양이라는 것은 도구시대 사회의 도덕적 형성 방법이다. 이 시대의 사회는 유기적이고 한정된 것이었다. 그런데 오늘날에는 도구시대에서 기계시대로 바뀌면서 생활 환경도 완전히 달라졌다. 그래서 도덕에서도 수양이라는 것만으로 불충분하게 되었다. 도구를 사용하는 기술에 비해 기계를 사용하는 기술은 습관에 의존하는 바가 적고, 지식에 의존하는 것이 많은 것처럼 오늘날 도덕에서도 지식이 특히 중요해졌다. 그러나 도덕은 유기적인 신체를 떠날 수 없고, 그리고 지성 속에도 습관이 기능한다는 것에 주의해야 한다.

데카당스는 정념의 일정치 않은 과잉인 것은 아니다. 데카당스는 정념의 특수한 습관이다. 인간의 행위가 기술적인 데에 데카당스의 근원이 있다. 정념이 습관이 되고, 기술적인 것이 되면서 데카당스가 발생한다. 자연적인 정념의 폭발은 오히려 습관을 깨는 것이며, 데카당스와는 반대인 것이다. 모든 습관에는 어떤 데카당스의 정취가 느껴진다. 습관에 의해 우리가 죽는다는 것은 습관이 데카당스가 되기 때문이지, 습관이 멈춘 것 때문은 아니다.

습관에 의해 우리는 자유롭게 됨과 동시에 습관에 의해 우리는 속박된다. 그러나 습관에서 두려워해야 할 것은 습관이 우리를 속박한다기보다 습관 속에 데카당스가 포함되는 것이다. 유명한 모랄리스트(도덕주의자)들은 세상에 얼마나 많은 기괴奇怪한 습관이 존재하는가에 관해 항상 말하고 있다. 그런 것은 얼마나 습관이 데카당스에 빠지기 쉬운지를 보여주는 것이다. 많은 기괴한 예술이 존재하는 것처럼 많은 기괴한 습관이 존재한다. 그런데 그것 또한 습관이 예술과 마찬가지로 구상력에 속하는 것을 보여주는 것이다. 습관에 비해 유행은 보다 지성적이라고 할 수 있다. 유행에는 이와 같은 데카당스가 없을 것이다. 거기에 유행의 생명적 가치가 있다. 그러나 유행 그 자체가 데카당스가 될 때, 가장 두려운 것이다. 유행은 불안정하고, 그것을 지탱하는 형태라는 것이 없기 때문이다. 유행은 허무와 직접 연속되어 있기 때문에 그 데카당스에는 바닥이 없다.

5
허영에 관해

"피조물이 허무한 것에 굴복한 것은, 자신의 의사가 아니고, 굴복하게 하신 분에 의한 것이다.Vanitati creatura subjecta est etiam nolens." [로마서 8장 20절]

허영은 인간에게 가장 보편적이고 또한 가장 고유한 성질이다. 허영은 인간의 존재 그 자체이다. 인간은 허영에 의해 살고 있다. 허영은 모든 인간적인 것 중에서 가장 인간적인 것이다.

허영에 의해 사는 인간의 생활은 실체가 없다. 바꿔 말하면, 인간의 생활은 픽셔널(허구적)한 것이다. 그것은 예술적 의미에서도 그렇다. 그 이유는, 인생은 픽션fiction(소설)이기 때문이다. 그러므로 누구든 하나의 소설은 쓸 수 있다. 보통 사람과 예술가의 차이는 단지 하나밖에 소설을 쓸 수 없는지, 그렇지 않으면 여러 가지 소설을 쓸 수 있는지 하는 점에 있다고 할 수 있을 것이다.

인생이 픽션이라는 것은, 그것이 아무런 실재성을 지니고 있지 않다는 것을 의미하지 않는다. 다만 그 실재성實在性은[1] 물적 실재성과 같지 않고, 오히려 소설의 실재성과 거의 같다. 즉 실체가 없는 것이 어떻게 해서 실재적일 수 있는가 하는 점이, 인생에서도 소설과 마찬가지로 근본 문제이다.

인생은 허구적인 것으로 원래 그냥 가능한 것이다. 그 현실성은 우리 생활 그 자체에 의해 비로소 증명되어야 한다.

어떤 작가가 신이나 동물에 관해 픽션을 쓰려고 했을까? 신이나 동물은 인간의 패션이 그들 안에 이입되어야만 픽션의 대상이 될 수 있었던 것이다. 단지 인간의 생활만이 허구적인 것이다. 인간은 소설적 동물이라고 정의할 수 있을 것이다.

자연은 예술을 모방한다는 것은 잘 알려진 말이다. 그러나 예술을 모방하는 것은 고유의 의미에서는 자연 속에서 인간뿐이다. 인간이 소설을 모방하거나 또는 모방할 수 있는 것은, 인간이 본성상 소설적인 것이기 때문이어야 한다. 인간은 인간적으로 되자마자 자기와 자기 생활을 소설화하기 시작한다.

모든 인간적이라고 불리는 패션은 허영심虛榮心에서 나온다. 인간의 모든 패션은 인간적이지만, 가령 인간에게 동물적인 패션이 있다고 하더라도 그것이 곧 허영심으로 파악될 수 있다는 점에서 인간적인 것이 인정된다.

허영심은 실체로부터 생각하면 허무虛無이다. 사람들이 허영虛榮이라고 말하고 있는 것은 그 현상에 지나지 않는다. 인간적인 모든 패션은 허무에서 나오며, 그 현상은 허영적이다. 인생의 실재성을 증명하려고 하는 사람은 허무의 실재성을 증명해야 한다. 모든 인간적 창조는 이와 같이 해서 허무의 실재성을 증명하기 위한 것이다.

"허영을 지나치게 많이 자기 안에 축적하여, 그것에 혹사당하지 않도록 틈을 열어 두는 것이 좋다. 말하자면, 매일 배수가 필요한 것이다." 이와 같이 말한 주베르는 상식주의자였다. 그러나 이 상식에는 현명한 처세법이 나타나 있다. 허영에 의해 멸망되지 않기 위해, 인간은 그 나날의 생활에 있어서 모든 사소한 일에 허영적인 것이 필요하다.

이 점에 있어서 영웅은 예외이다. 영웅은 최후에, 즉 멸망에 의해 자기를 증명한다. 희극의 주인공에는 영웅이 없다, 영웅은 오직 비극의 주인공이 될 수 있다.

인간은 허영에 의해 살고 있다는 것이야 말로, 그의 생활에 지혜가 필요한 것을 보여주는 것이다. 인생의 지혜는 모두 허무에 도달해야 한다.

지폐는 허구적인 것이다. 금화 역시도 허구적인 것이다. 그러나 지폐와 금화는 서로 다른 점이 있다. 세상에는 불환지폐라고 하는 것도 있다. 모든 것이 허영인 인생에서 지혜라는 것은 금화와 지폐를, 특히 불환지폐를 구별하는 판단력이다. 그렇다고 하더라도 금화도 그 자체가 허구적인 것이 아니다.

인간이 허영적이라고 하는 것은 인간이 보다 높은 것을 추구하는 성질을 보여주고 있다. 허영심이라는 것은 자기가 가지고 있는 것보다도 그 이상의 것을 보이려고 하는 인간적인 패션이다. 그것은 가장假裝에 지나지 않을지도 모른다. 그러나 평생을 가장으로 살아온 사람에 있어서, 그 사람의 본성本性과 가성假性을 구별하는 것은 불가능에 가까울 것이다. 도덕도 또한 픽션이 아닌가? 그것은 불환지폐에 대한 금화만큼의 의미를 지닌다.

인간이 허영적이라는 것은 인간이 사회적인 것을 보여준다. 즉 사회도 픽션 위에 성립한다. 따라서 사회에서는 신용이 전부이다. 모든 픽션이 허영이라는 것은 아니다. 픽션에 의해 생활하는 인간이 허영적일 수 있는 것이다.

문명의 진보라고 하는 것은 인간의 생활이 보다 많이 픽션 위에 구축되는 것이라고 한다면 문명의 진보와 함께 허영은 항다반사恒茶飯事[4]가 된다. 그리고 영웅적인 비극도 또한 적어진다.

픽션을 자연적이라 생각하는 것은 습관의 힘이다. 오히려 습관적으로 됨으로써 픽션은 비로소 픽션의 의미를 가지게 되는 것이다. 단지 허영인 것은 아직 픽션이라 말하지 않는다. 그런고로 픽션은 허영이라고 하더라도 이미 픽션으로서 타당한 이상, 단순한 허영보다 높은 인간적인 것이 되었다. 습관은 이미 이러한 높은 인간성을 나타내고 있다. 습관은 단지 자연적인 것이 아니라, 이미 지성적인 것의 하나의 형태이다.

모든 인간의 악은 고독할 수 없는 데에서 생긴다.

어떻게 하면 허영을 없앨 수가 있을까? 허무로 돌아감으로써. 그렇지 않으면 허무의 실재성을 증명함으로써. 바꿔 말하면, 창조에 의해 가능하다. 창조적 생활만이 허영을 모른다. 창조라고 하는 것은 픽션을 만드는 것이며, 픽션의 실재성을 증명하는 것이다.

허영은 많은 경우 소비와 결부되어 있다.

남의 마음에 들기 위해, 혹은 다른 사람에 대해 자기를 기분 좋은 것으로 하기 위한 허영은 주베르가 말한 바와 같이 이미 '절반의 덕'이다. 모든 허영은 이 절반의 덕을 위해 허용되고 있다. 허영을 배제하는 것은 그 자체가 하나의 허영일 수 있을 뿐만 아니라 자주 상냥

함의 적인 오만에 빠지곤 한다.

　이상의 나라에서 예술가를 추방하려고 한 플라톤에게는 하나의 지혜가 있다. 그러나 자기 생활에 관해 진정한 예술가라고 하는 것은 인간의 입장에서 허영을 구축하기 위한 최고의 것이다.

　허영은 생활에서 창조와 구별되는 딜레탕티즘이다. 허영을 예술의 딜레탕티즘과 비교해서 생각하는 사람은 허영의 적절한 대처 방법을 발견할 수 있을 것이다.

6 명예심에 관해

명예심과 허영심만큼 혼동되기 쉬운 것은 없다. 게다가 양자만큼 구별이 필요한 것은 없다. 이 두 개의 것을 구별하는 것이 인생에 관한 지혜의 적어도 절반이라고도 할 수 있을 것이다. 명예심이 허영심과 오해되는 경우는 아주 많다. 그러나 명예심은 매우 쉽게 허영심으로 바뀐다는 것이다. 개인의 경우 명예심과 허영심을 구별하기 위해서는 좋은 안목을 지녀야 한다.

인생에 대해 아무리 엄격한 인간도 명예심을 방기하지 않을 것이다. 스토익stoic[1]이라고 하는 것은 오히려 명예심과 허영심을 구별하여, 허영심에 유혹되지 않는 사람을 말한다. 명예심과 허영심을 구별을 할 수 없는 경우, 스토익이라고 해도 하나의 허영에 지나지 않는다.

허영심은 사회를 우선 대상으로 삼고 있다. 그런데 명예심은 먼저 자기를 대상으로 한다. 허영심이 세속적인 것에 대한 것에 반해, 명예심은 자기 품위에 관한 자각이다.

모든 스토익stoic은 본질적으로 개인주의자이다. 그의 스토이시즘stoicism[2]이 자기 품위에 관한 자각에 기반을 둘 경우, 그는 좋은 의미에서 개인주의자이며, 그리고 그것이 허영의 일종일 경우, 그는 나쁜 의미에서의 개인주의자에 지나지 않는다. 스토이시즘의 가치도 한계도, 그것이 본질적으로 개인주의인 데에 있다. 스토이시즘은 자신의 여러 정념을 자기와는 상관없는 자연물과 같이 봄으로써 제어하는 것인데, 그것에 의해 동시에 자기 혹은 인격이라는 추상적인 것을 확립했다. 이 추상적인 것에 대한 정열이 도덕의 본질을 이루고 있다.

명예심과 개인의식은 불가분의 관계에 있다. 단지 인간만이 명예심을 가지고 있다고 하는 것도 인간에게는 동물보다 훨씬 개성이 많이 분화되어 있는 것과 관계가 있을 것이다. 명예심은 개인의식에서 말하자면 구성적이다. 개인으로서 있으려고 하는 것, 그것이 인간의 가장 깊고, 가장 높은 명예심이다.

명예심도 허영심과 마찬가지로 사회를 향하고 있다고 할 것이다. 그러나 그렇다고 하더라도 허영심에서 상대는 '세상'이다. 자세히 말하면 갑도 아니고 을도 아닌, 동시에 갑이기도 하고 을이기 한, '사람', 아노님anonym[3]적 '사람'인 것에 반해, 명예심의 상대는 갑이기도 혹은 을이기도 한, 각각의 인간이 개인으로서의 독자성을 잃지 않고 있는 사회이다. 허영심은 본질적으로 무명無名이다.

허영심의 포로가 될 때, 인간은 자기를 상실하고, 개인의 독자성의 의식을 잃어버리는 것이 상례이다. 그 때 그는 아노님적인 '사람'을 대상으로 함으로써, 그 자신이 아노님적인 '사람'이 되고, 허무에 귀결된다. 그런데 명예심에 있어서는 그것이 허영심으로 변하지 않고, 진정으로 명예심에 머무르고 있는 한, 인간은 자신과 자기의 독자성에 대한 자각이 있어야 한다.

사람은 무엇보다도 흔히 허영심을 모방하고, 유행에 몸을 맡긴다. 유행은 아노님적인 것이다. 따라서 명예심을 가지고 있는 인간이 가장 싫어하는 것은 유행의 모방이다. 명예심이라고 하는 것은 모두 아노님적인 것에 대한 싸움이다.

발생학적으로 말하면, 인간이 사족으로 땅을 기어 다니는 것을 그만두었을 때, 인간에게는 명예심이 생겼다. 인간이 직립보행하게 되었다는 것은 인간 명예심의 최초이자, 최대의 행위였다.

직립 보행함으로써 인간은 추상적인 존재가 되었다. 그때 인간에게는 모든 기관 중에서 가장 추상적인 기관인 손이라는 것이 생겼다. 그것은 동시에 인간에게 추상적인 사고가 가능해진 것이다. 명예심이라고 하는 것은 모두 추상적인 것에 대한 정열이다.

추상적인 것에 대한 정열을 가지고 있느냐 없느냐가 명예심의 기준이다. 그러나 세상에서 명예심으로부터 나왔다고 말하는 것도 실은 허영심에 기반을 둔것이 많다.

추상적인 존재가 된 인간은 더 이상 환경과 융합하며 살 수가 없다. 오히려 환경에 대립하여, 이것과 싸우며 살아가지 않으면 안된다. 명예심은 모든 의미에서 전사의 마음이다. 기사도나 무사도에서 명예심이 근본적인 덕이라고 생각한 것도 이것과 관련되어 있다.

예를 들어, '명예를 소중히 여긴다.'는 말이 있다. 명예라는 것은 추상적인 것이다. 만일 그것이 추상적인 것이 아니라면, 거기에 명예심은 없고 허영심만 있을 뿐이다. 지금 세간의 평판이라는 것은 아노님적인 것으로, 세간의 평판을 신경 쓰는 것은 명예심이 아니라 허영심에 속한다. 아노님적인 것과 추상적인 것은 다르다. 양자를 구별하는 것이 중요하다.

모든 명예심은 어떤 방식이든 영원을 생각하고 있다. 이 영원이라는 것은 추상적인 것이다. 예를 들어, '명예를 소중히 여긴다.' 라고 할 경우, 명예는 개인의 품위에 대한 의식이며, 게다가 그것은 추상적인 것으로의 영원과 관계를 맺고 있다. 그런데 허영심은 시간적인 것 중에서 가장 시간적이다.

추상적인 것에 대한 열정으로 개인이라고 하는 가장 현실적인 것의 의식이 성립한다. 이것이 인간 존재의 비밀이다. 예를 들어, 인류라고 하는 것은 추상적인 것이다. 그런데 이 인류라고 하는 추상적인 것에 대한 열정없이는 인간은 진정한 의미의 개인이 될 수 없다.

명예심의 추상성 속에 진리와 동시에 허위가 있다.

명예심으로 멸망하는 사람은 추상적인 것으로도 멸망하는 사람이다. 그리고 이 추상적인 것으로 멸망할 수 있다는 것은 인간에게 고유한 것이며, 그것이 그의 명예심에 속해 있기 때문이다.

명예심은 자기의식과 불가분한 것이지만, 자기라고 해도 이 경우는 추상적인 것이다. 따라서 명예심은 자기에 머무르는 것이 아니라 끊임없이 밖을 향해 사회로 나간다. 거기에 명예심의 모순이 있다.

명예심은 백일白日(한낮) 속에 있지 않으면 안 된다. 그러나 백일이라는 것은 무엇인가? 추상적인 공기이다.

명예심은 아노님적인 사회를 상대로 하고 있는 것은 아니다. 그러나 명예심은 추상적인 갑, 추상적인 을, 즉 추상적인 사회를 상대로 하고 있는 것이다.

사랑은 구체적인 것에 대해서만 움직인다. 이러한 점에서 사랑은 명예심과 정반대이다. 사랑은 겸허한 것을 추구하고, 그리고 명예심은 가장 자주 오만하다.

종교의 비밀은 영원이라든가, 인류라든가 하는 추상적인 것이 종교에서는 가장 구체적이라는 점이다. 종교야말로 명예심의 한계를 명료하게 보여주는 것이다.

명예심이 추상적인 것이라고 하더라도 옛날 사회는 지금 사회만큼 추상적인 것이 아니었기에 명예심은 여전히 근저가 있는 것이었다. 그런데 오늘날 사회가 추상화됨에 따라 명예심은 더욱 더 추상적인 것이 되었다. 게마인샤프트(공동 사회)[4]적인 구체적인 사회에서는 추상적인 정열인 명예심은 하나의 커다란 덕德일 수 있었다. 게젤샤프트(이익 사회)적인 추상적 사회에서는 이와 같은 명예심은 근저가 없어지고, 허영심과 명예심의 구분도 어렵게 되었다.

7 분노에 관해

이라 데이 Ira Dei.(하나님의 분노), 기독교 문헌을 볼 때마다, 항상 생각나는 것이 이것이다. 이 얼마나 무서운 사상일까? 또 이 얼마나 깊은 사상일까?

하나님의 분노는 언제 나타나는 것일까? 정의가 유린당했을 때이다. 분노의 하나님은 정의의 하나님이다.

하나님의 분노는 어떻게 나타나는 것일까? 천변지이天變地異로 일까? 예언자의 분노로 일까? 그렇지 않으면 대중의 분노로 나타나는 것일까? 하나님의 분노를 생각하라!

그러나 정의란 무엇인가? 진노하는 하나님은 '숨은 신'이다. 정의의 법칙이라고 생각하게 되었을 때, 인간에게 하나님의 분노는 잊히고 말았다. 분노는 계시의 하나의 형식이다. 진노하는 하나님은 법칙의 신이 아니다.

진노하는 하나님에게는 데모니시(초월적, 악마적)인 데가 없으면 안 된다. 신은 원래 데모니시(초월적, 악마적)이었다. 그런데 지금은 신이 인간적으로 되어 있다. 데몬demon(악령, 악마, 사탄)도 또한 인간적인 것으로 되어 있다. 휴머니즘(인문주의)이라고 하는 것은 분노를 모르는 것일까? 그렇다고 한다면 오늘날 휴머니즘에 분노는 어느 정도의 의미가 있는 것일까?

사랑의 신은 인간을 인간적으로 만들었다. 그것이 사랑의 의미이다. 그런데 세상이 너무나도 인간적이 되었을 때, 필요한 것은 분노이며 하나님의 분노를 아는 것이다.

오늘날, 사랑에 관해서는 누구나 말하고 있다. 그런데 누가 분노에 관해 진지하게 말하려고 할까? 분노의 의미를 잊고 다만 사랑에 관해서만 말한다는 것은 오늘날의 인간이 무성격$_{無性格}$이라는 것의[3] 징표이다.

간절히 의인$_{義人}$을 생각한다. 의인이란 무엇인가? 분노하는 것을 아는 사람이다.

오늘날, 분노의 윤리적 의미만큼 많이 잊혀진 것은 없다. 분노는 단지 피해야 하는 것으로 생각한다. 그러나 만일 어떤 경우 피해야 한다면, 그것은 증오이지 분노는 아니다. 증오도 분노로 인해 생긴 경우에는 의미를 지닐 수 있다. 즉 분노는 증오의 윤리성에 근거를 제공할 수 있는 그런 것이다.

분노와 증오는 본질적으로 다름에도 불구하고 매우 자주 혼동되고 있다. 분노의 의미가 잊히고 있는 증거라고 할 수 있을 것이다.

분노는 보다 깊은 것이다. 분노는 증오의 직접 원인이 될 수 있는 것에 반해, 증오는 다만 부수적으로밖에 분노의 원인이 될 수 없다.

모든 분노는 돌발적이다. 그것은 분노의 순수성 혹은 단순성을 보여준다. 그런데 증오는 거의 모두 습관적이며, 습관적으로 영속하는 증오만이 증오라고 생각될 정도이다. 증오의 습관성이 그 자연성을 나타낸다고 한다면, 분노의 돌발성은 그 정신성을 나타내고 있다. 분노가 돌발적인 것이라고 하는 것은 그 계시적인 심오함을 말하는 것이어야 한다. 그런데 증오가 무엇인가 심오한 것처럼 보인다고 한다면, 그것은 증오가 습관적인 영속성을 가지고 있기 때문이다.

분노만큼 정확한 판단을 어지럽히는 것은 없다는 말은 맞을 것이다. 그러나 분노하는 인간은 분노를 참으며 증오하는 사람보다도 늘 용서받아야 한다.

사람들은 사랑에 종류가 있다고 한다. 사랑은 신의 사랑(아가페)[4], 이상에 대한 사랑(플라톤적 에로스)[5], 그리고 육체적인 사랑이라는 세 단계로 구별되고 있다. 그렇다고 한다면, 그것에 상응해서 분노도 신의 분노, 명예심에서 나오는 분노, 기분적인 분노라고 하는 세 종류를 구별할 수 있을 것이다. 분노에 단계가 있다는 것은 분노의 깊이를 보여주는 것이다. 그러나 증오를 단계별로 구별할 수 있을까? 분노의 내면성이 이해되지 않으면 안 된다.

사랑과 증오를 항상 대립적으로 생각하는 것은 지나치게 기계적이라고 할 수 있을 것이다. 적어도 신(神)의 변증법은 사랑과 증오의 변증법이 아니라 사랑과 분노의 변증법이다. 신은 증오하는 것을 모르지만, 분노하는 것은 알고 있다. 신의 분노를 잊은 많은 사랑의 주장은 신의 사랑도 인간적인 것으로 만들고 말았다.

분노의 대부분은 기분에서 온다. 기분은 생리적인 것과 결부되어 있다. 따라서 분노를 가라앉히는 데에는 생리적(生理的) 수단에 호소하는 것이 좋다. 일반적으로 생리는 도덕과 깊은 관계가 있다. 옛날 사람들은 그것을 잘 알고 있었기 때문에 지혜롭게 대처해 왔지만, 지금은 그 지혜가 점차 희박해지고 있다. 생리학[6]이 없는 윤리학은 육체가 없는 인간과 마찬가지로 추상적이다. 생리학은 하나의 기술로서 체조이어야 한다. 체조는 신체 운동에 대한 올바른 판단을 지배하며, 그것에 의해 정신의 무질서도 조정될 수 있다. 정념이 움직이는 대로 맡기려는 신체에 대해 적당한 체조를 체득하는 것은 정념을 지배하기 위해 필요하다.

분노를 가라앉히는 가장 좋은 수단은 시간이라고 말할 것이다. 분노는 특히 돌발적이기 때문이다.

신은 시간에 비참한 인간을 위로하도록 명령했다. 그러나 시간은 인간을 구하는 것일까? 시간은 소멸한다. 인간이 시간으로 위로받는다는 것은 인간의 허무함에 속한다. 시간이란 소멸성이다.

우리의 분노의 대부분은 신경 속에 있다. 그러므로 신경을 초조하게 만드는 원인이 되는 그런 것, 예를 들어, 공복이라든가 수면부족이라든가 하는 것을 피해야 한다. 모든 작은 것에 의해 생기는 것은 작은 것에 의해 생기지 않도록 할 수가 있다. 그러나 극히 작은 일에 의해서이든 일단 생긴 것은 매우 큰 재앙을 불러 올 수 있다.

사회와 문화의 현상은 인간을 매우 신경질적으로 만든다. 그래서 분노도 상습적이 되고 상습적이 됨으로써, 분노는 본래의 성질을 상실하려고 한다. 분노와 초조가 끊임없이 혼효混淆되고 있다. 같은 이유에서 오늘날 분노와 증오의 구별도 애매해지고 있다. 분노하는 사람을 볼 때, 나는 왠지 고풍스러운 인간을 만난 것처럼 느낀다.

분노는 복수심으로 영속할 수 있다. 복수심은 증오의 형태를 취한 분노이다. 그러나 분노는 영속할 경우, 그 순수성을 유지하는 것은 어렵다. 분노에서 생기는 복수심도 단순한 증오로 바뀌는 것이 대부분 상례이다.

육욕적 사랑도 영속할 경우, 점차 정화되어 한층 높은 차원의 사랑으로 높아져 갈 수 있다. 거기에 사랑이라는 것의 신비가 있다. 사랑의 길은 상승의 길이며, 그것이 휴머니즘의 관념과 일치하기 쉽다. 모든 휴머니즘의 근저에는 에로티시즘이 있다고 할 수 있다.

그런데 분노는 영속한다고 해도 한층 높은 차원의 분노로 높아지지 않는다. 그러나 그만큼 깊게 신의 분노라고 하는 것의 신비를 느끼게 된다. 분노에는 다만 하강의 길이 있을 뿐이다. 그리고 그런만큼 분노의 근원의 깊이를 생각하지 않으면 안 되는 것이다.

사랑은 통일이며 융합이며 연속이다. 분노는 분리이며 독립이며 비연속이다. 신의 분노를 생각하지 않고 신의 사랑과 인간적 사랑을 구별을 생각할 수 있을까? 유대의 예언자 없이 그리스도를 생각할 수 있을까? 구약 없이 신약을 생각할 수 있을까?

신조차 자신이 독립된 인격인 것을 분노로 나타내지 않으면 안 되었다.

특히 인간적이라고 말할 수 있는 분노는 명예심에서 나오는 분노이다. 명예심은 개인의식과 불가분하다. 분노에서 인간은 의식하지 않았다고해도 자기가 개인인 것, 독립된 인격인 것을 보이려고 하는 것이다. 거기에 분노의 윤리적 의미가 감추어져 있다.

오늘날 분노라고 하는 것이 애매하게 된 것은 이 사회에서 명예심과 허영심의 구별이 애매하게 된 사정과 상응한다. 그것은 또한 이 사회에 있어서 무성격적인(성격이 확실하지 않는)사람이 많아졌다는 사실을 반영한다. 분노하는 인간은 적어도 성격적인 사람이다.

사람은 경멸을 받았다고 느꼈을 때 가장 분노한다. 그러므로 자신이 있는 사람은 그다지 분노하지 않는다. 그의 명예심은 그의 분노가 성마른 것을 막을 것이다. 진정으로 자신이 있는 자는 조용하고, 게다가 위엄을 갖추고 있다. 그것은 완성된 성격을 의미한다.

상대의 분노를 피하려고 자기의 우월을 보이려고 하는 것은 어리석다. 그 경우, 자기가 우월한 것을 보이려고 하면 할수록 상대는 더욱 경멸을 받았다고 느끼게 되고, 그 분노는 점점 심해진다. 진정으로 자신이 있는 자는 자기우월과 같은 행위는 하지 않을 것이다.

분노를 피하는 최상의 수단은 기지(機智)이다.

분노에는 어딘가 귀족주의적인 데가 있다. 좋은 의미에서도 나쁜 의미에서도.

고독이 무엇인지를 알고 있는 자만이 진정으로 분노하는 것을 안다.

아이러니라고 하는 하나의 지적 성질은 그리스인의 소위 히브리스[7](교만)에 대응한다. 그리스인의 히브리스는 그들의 분노하기 쉬운 성질을 떠나서 존재하지 않았을 것이다. 명예심과 허영심의 구별이 애매하게 되고, 분노의 의미가 애매해진 오늘날 설령 아이러니가 흔하다고 해도 적어도 효용의 대부분을 상실했다.

8 인간의 조건에 관해

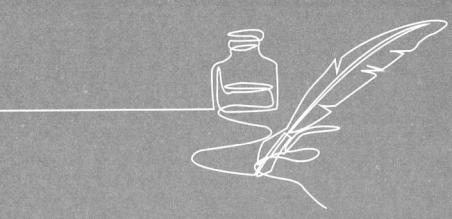

어떤 방법도 상관없다. 나에 대해 집중하려고 하면 할수록, 나는 내가 무엇인가의 위에 떠 있는 것처럼 느낀다. 도대체 어떤 것 위에 있는 것일까? 허무 위라고 할 수밖에 없다. 나는 허무 속의 하나의 점이다. 이 점은 한없이 축소될 수 있다. 그러나 그것은 아무리 작아져도 내 안에 떠오르고 있는 허무와 같은 것은 아니다. 생명은 허무가 아니라, 허무는 오히려 인간의 조건이다. 그러나 이 조건은 마치 하나의 파도, 하나의 포말(물거품)조차도 바다라고 하는 것을 떠나서 생각할 수 없는 것처럼, 그것 없이는 인간을 생각할 수 없는 것이다. 인생은 물거품과 같다고 하는 사상은 그 물거품의 조건으로서의 파도, 그리고 바다를 생각하지 않을 경우, 틀린 것이다. 그러나 또한 물거품이나 파도가 바다와 하나인 것처럼, 인간도 그 조건인 허무와 같은 것이다. 생명이란, 허무를 그러모으는 힘이다. 그것은 허무에서 나오는 형성력이다. 허무를 그러모아서 형태가 만들어진 것은 허무가 아니다. 허무와 인간은 삶과 죽음처럼 다르다. 그러나 허무는 인간의 조건이다.

　인간의 조건으로 다른 무수의 것을 생각할 수 있을 것이다. 예를 들어, 이 방, 이 책상, 이 책, 혹은 이 책이 주는 지식, 또는 이 집의 뜰, 전체 자연, 혹은 가족, 그리고 전체 사회… 세계. 이 몇 가지 말로 표현된 것은 다시 무수의 요소로 분해할 수 있다. 그들 무수의 요소는 서로 관계되어 있다. 그리고 인간이라는 것도, 그 신체도, 그 정신도, 그들 요소와 같은 질서의 것으로 끝없이 분해하는 것이 가능하다. 그리고 하나의 세포에게 다른 모든 세포는 조건이며, 하나의 심상心象[1]에게 다른 모든 심상도 조건이다. 이들 조건은 다른 모든 조건과 관계되어있다. 이와 같이 끝까지 분해를 계속해 나가면 조건 이외의 인간 그 자체를 발견하는 것은 불가능한 것처럼 생각된다.

　나는 자신이 세계의 요소와 같은 요소로 분해되는 것을 본다. 그러나 그럼에도 불구하고 내가 세계와 다른 어떤 것으로 존재하는 것은 확실하다. 인간과 인간의 조건은 어디까지나 다르다. 이것은 어떻게 가능할까?

사물이 인간의 조건이라고 하는 것은, 그것이 허무 속에서 비로소 그와 같은 사물로서 나타난다고 하는 것에 의해서이다. 바꿔 말하면, 세계-그것을 무한히 크게 생각하든, 무한히 작게 생각하든 간에-가 인간의 조건인 경우, 허무는 아프리오리$_{a\ priori}$[2]이다. 허무라고 하는 인간의 근본 조건에 제약된 것으로 그 자체가 허무로 돌아갈 수 있는 것, 아니 허무인 것으로서 세계의 사물은 인간의 조건이다. 이렇게 해서 비로소 인간은 세계와 같은 요소로, 그들 요소의 관계에 한없이 분해될 수 있다고 하더라도 '인간과 세계' 사이에 '인간과 인간의 조건' 사이에 끝없이 구별이 존재할 수 있는 것이다. 허무가 '인간의 조건의 조건'이 아니라면, 어떻게 내 자신은 세계의 요소와 근본적으로 구별되는 어떤 것일 수 있을까?

허무가 '인간의 조건' 혹은 '인간의 조건인 것의 조건'이라는 데에서 인생은 형성이라고 하는 것이 따라온다. 자기는 형성력이며, 인간은 형성된 것이라고만 하는 것은 아니다. 세계도 형성된 것으로 비로소 인간적 생명에 현실적으로 환경의 의미를 지닐 수 있는 것이다. 생명은 스스로 형태로서 외부에 형태를 만들고, 사물에 형태를 부여함으로써 자기에게 형태를 부여한다. 이러한 형성은 인간의 조건이 허무인 것에 의해 가능하다.

세계는 요소로 분해되고, 인간도 이 요소적 세계 속에서 분해된다. 그리고 요소와 요소 사이에는 관계가 인정되고, 요소 그 자체도 관계로 분해될 수 있을 것이다. 이 관계는 몇 개의 법칙으로 정식화할 수 있을 것이다. 그러나 이러한 세계에서 생명은 성립할 수 없다. 왜일까? 생명은 추상적인 법칙이 아니고, 단순한 관계도, 관계의 합도 곱도 아니고, 생명은 형태이기 때문이다. 이러한 세계에서는 형태라고 하는 것은 생각할 수 없다. 형성은 어딘가 다른 곳으로부터, 즉 허무에서 생각하지 않으면 안된다. 형성은 항상 허무로부터 나온다. 형태의 성립도, 형태와 형태의 관계도, 형태에서 형태로의 변화도 단지 허무를 근저로 해서 이해할 수 있다. 거기에 형태라고 하는 것의 본질적인 특징이 있다.

고대는 실체개념에 의해 사고하고, 근대는 관계개념 혹은 기능개념[3](함수개념)[4]에 의해 사고했다. 새로운 사고는 형태의 사고이어야 한다. 형태는 단순한 실체가 아니라 단순한 관계도 기능도 아니다. 형태는 말하자면 양자의 종합이다. 관계개념과 실체개념이 하나이며, 실체개념과 기능개념이 하나라는 데에 형태가 있다.

이전의 인간은 한정된 세계 안에 생활하고 있었다. 그가 사는 지역은 끝에서 끝까지 멀리 내다볼 수 있었다. 그가 사용하는 도구는 어디의 아무개가 만든 것이며, 그 기량은 얼마나 되는 것인가를 알고 있었다. 또 그가 얻는 보도나 지식의 경우에도 어디의 아무개에서 나온 것이며, 그 사람이 얼마나 신용할 수 있는 것인가가 알려져 있었다. 이와 같이 그의 생활 조건과 그의 환경이 한정되어 있었기 때문에 인간 자신도, 그 정신도, 그 표정도, 그 풍모도, 확실한 형태가 있었던것이다. 즉 이전의 인간에게는 성격이 있었다.

그런데 오늘날의 인간의 조건은 다르다. 현대인은 무한정한 세계에 살고 있다. 나는 내가 사용하고 있는 도구가 어디의 아무개가 만든 것인지를 모르며, 내가 근거로 삼고 있는 보도나 지식도 어디의 아무개에서 나온 것인지를 모른다. 모든 것이 아노님(무명)의 것뿐이라는 것은 아니다. 모든 것이 아모르프[5](무정형)의 것이다. 이와 같은 생활조건 속에 사는 것으로 현대인 자신도 무명無名의, 무정형無定形한 것이 되고, 무성격적인(성격이 확실하지 않는) 것이 되었다.

현대인의 세계가 이와 같이 무한정한 것은, 실은 그것이 가장 한정된 결과로서 생긴 것이기 때문이다. 교통 발달로 인해 세계 구석구석까지 서로 관계를 맺고 있다. 나는 보이지 않는 무수의 것에 연결되어 있다. 고립된 것은 무수의 관계에 들어감으로써 극히 한정된 것이 되었다. 실체적인 것은 관계로 분해됨으로써 가장 엄밀하게 한정된 것이 되었다. 이 한정된 세계에 대해 이전의 세계가 오히려 무한정하다고 말하지 않으면 안 될 것이다. 그러나 그럼에도 불구하고 오늘날의 세계는 무한정하다. 관계적 내지 함수적으로는 한정되어 있다고 하더라도 혹은 오히려 그와 같이 극도로 한정된 결과, 형태로서는 오히려 무한정한 것이 되었다. 이 무한정이 실은 특정의 한정 방식이 발달한 결과 생긴 것이기에 현대인의 무성격(성격이 확실하지 않는 것)이라고 불리는 것의 특수한 복잡함이 있다.

오늘날 인간의 최대 문제는, 이와 같이 형태가 없는 것에서 어떻게 해서 형태를 만드는가 하는 것이다. 이 문제는 내재적인 입장에서는 해결되지 않는다. 왜냐하면 이 무정형한(일정한 형체가 없는) 상태는 한정이 극도로 발달한 결과 생긴 것이기 때문에, 거기에 현대의 모든 초월적인 사고방식의 의의가 있다. 형성은 허무로부터의 형성, 즉 과학을 초월한 예술적이라고도 할 만한 형성이어야 한다.

일종의 예술적인 세계관, 게다가 관조적觀照的이 아니라 형성적인 세계관이 지배적으로 되기까지는 현대에는 구제救濟가 없다고 할 수 있을지도 모른다.

현대의 혼란이라고 불리는 것에는 모든 것이 혼합되어 있다. 대립하는 것이 종합되어 간다고 하기보다 오히려 대립하는 것이 혼합되어 간다고 하는 것이 실제에 가깝다. 이 혼합에서 새로운 형태가 나올 것이다. 형태의 생성은 종합의 변증법이라기보다도 혼합의 변증법이다. 내가 말하는 구상력의 논리는 혼합의 변증법으로 특징지어지지 않으면 안 될 것이다. 혼합은 부정不定한 것의 결합이고, 그 부정한 것의 부정성不定性의 근거는 허무의 존재이다. 모든 것은 허무 속에 존재하고, 또한 각각 특수하게 허무를 품고 있는 데에서 혼합을 생각할 수 있다. 허무는 일반적인 존재를 가지고 있을 뿐만 아니라 각각 특수한 존재를 가지고 있다. 혼합의 변증법은 허무로부터의 형성이어야 한다. 카오스[6]에서 코스모스로의 생성을 주장한 고대인의 철학에는 심오한 진리가 포함되어 있다. 중요한 것은 그 의미를 끝까지 주체적으로 파악하는 것이다.

9 고독에 관해

"이 무한의 공간의 영원한 침묵은 나를 전율케 한다." -파스칼-

고독이 무서운 것은 고독 그 자체 때문이 아니라, 오히려 고독의 조건에 의해서이다. 마치 죽음이 무서운 것은 죽음 그 자체 때문이 아니라, 오히려 죽음의 조건에 의해서인 것과 같다. 그러나 고독의 조건 이외에 고독 그 자체가 있을까? 죽음의 조건 이외에 죽음 그 자체가 있을까? 그 조건 이외에 그 실체를 포착할 수 없는 것, 죽음도, 고독도 참으로 이와 같은 것일 것이라고 생각된다. 게다가, 실체성實体性이 없는 것은 실재성實在性이 없는 것이라고 할 수 있을까? 또 말하지 않으면 안되는 것일까?

고대 철학은 실체성이 없는 데에서 실재성$_{實在性}$을 생각할 수 없었다. 따라서 거기에서는 죽음도, 고독도, 마치 어둠이 빛의 결핍이라고 생각된 것처럼 단지 결핍(스테레시스)[2)]을 의미하는 것에 지나지 않았을 것이다. 그런데 근대인은 조건에 의해 사고한다. 조건에 의해 사고하는 것을 가르친 것은 근대과학이다. 그러므로 근대과학은 죽음의 공포나 고독의 공포의 허망성$_{虛妄性}$을 분명히 한 것이 아닌, 오히려 그 실재성을 보여준 것이다.

고독이라는 것은 독거를 의미하는 것은 아니다. 독거는 고독의 하나의 조건에 지나지 않는다. 게다가 그 외적인 조건이다. 오히려 사람은 고독에서 벗어나기 위해 독거조차 하는 것이다. 은둔자라고 하는 것은 종종 이런 사람을 의미한다.

고독은 산에 없고 거리에 있다. 한 사람에게 있는 것이 아니라, 많은 인간의 '사이間'에 있는 것이다. 고독은 '사이間'에 있는 것으로 공간과 같은 것이다. '진공真空의 공포' 그것은 물질의 것이 아니라, 인간의 것이다.

고독은 안에 틀어박혀 나오지 않는 것은 아니다. 고독을 느낄 때, 시험 삼아 자신의 손을 뻗고 가만히 응시해 보라. 고독의 느낌은 갑자기 닥쳐올 것이다.

서양인이라면 고독을 음미하기 위해 거리로 나갈 것이다. 그런나 동양인은 자연 속에 들어갔다. 그들에게는 자연이 사회와 같은 것이었다. 동양인에게 사회의식이 없다고 하는 것은, 그들에게는 인간과 자연이 대립적으로 생각되지 않기 때문이다.

동양인의 세계는 박명薄明(해뜨기전, 해진 뒤의 어스레한 무렵)의 세계이다. 그런데 서양인의 세계는 낮의 세계와 밤의 세계이다. 낮과 밤의 대립이 없는 곳이 박명이다. 박명의 적적함은 낮의 적적함과도 밤의 적적함과도 그 성격이 다르다.

고독에는 미적인 유혹이 있다. 고독에는 정취가 있다. 만일 너나 없이 고독을 좋아한다면 이 정취 때문이다. 고독의 미적인 유혹은 어린아이도 알고 있다. 문제는 고독이 보다 높은 윤리적 의의에 도달하는 것이다.

그 일생이 고독의 윤리적 의의의 탐구였다고 할 수 있는 키에르케고르조차도[3], 그 미적인 유혹에 종종 넘어갔다.

감정은 주관적이고 지성은 객관적이라고 하는 일반적인 견해에는 오류가 있다. 오히려 그 반대가 한층 진리에 가깝다. 감정은 많은 경우 객관적인 것, 사회화된 것이며 지성이야 말로 주관적인 것, 인격적인 것이다. 진정으로 주관적인 감정은 지성적이다. 고독은 감정이 아니라 지성에 속하는 것이어야 한다.

진리와 객관성, 따라서 비인격성非人格性을 동일시하는 철학적 견해만큼 유해한 것은 없다. 이러한 견해는 진리의 내면성뿐만 아니라, 특히 그 표현성을 이해하지 않는 것이다.

어떤 대상도 나로 하여금 고독을 초월하게 할 수는 없다. 고독한 때에 나는 대상의 세계를 전체로서 초월하고 있는 것이다.

고독할 때 우리는 사물로부터 멸망되지는 않는다. 우리가 사물로부터 멸망되는 것은 고독을 모를 때이다.

우리에게 사물이 매우 표현적으로 다가올 때는 우리가 고독할 때이다. 그리고 우리가 고독을 초월할 수 있는 것은, 그 부름에 응하는 자기의 표현 활동에서 밖에 없다. 아우구스티누스는 식물은 인간이 봐주기를 바라고, 보여주는 것이 식물에게는 구제라고 말했다. 표현하는 것은 사물을 구하는 것이며, 사물을 구함으로써 자기를 구하는 것이다. 이렇게 해서 고독은 가장 깊은 사랑에 뿌리를 내리고 있다. 거기에 고독의 실재성이 있다.

10

질투에 관해

만일 나에게 인간의 성性이 선인 것을 의심케 하는 것이 있다고 한다면, 그것은 인간의 마음 속 질투의 존재이다. 질투야 말로 베이컨이 말한 것처럼 악마에게 가장 적합한 속성이다. 왜냐하면 질투는 교활하게 어둠 속에서 선한 것을 해하는 것을 향해 기능하는 것이 일반적이기 때문이다.

어떤 정념도 천진난만하게 나타날 경우, 항상 어떤 아름다움을 지니고 있다. 그런데 질투에는 천지난만이라는 것이 없다. 사랑과 질투는 여러 가지 점에서 닮은 점이 있지만, 먼저 이 한 가지 점에서 완전히 다르다. 즉 사랑은 순수할 수 있는 것에 반해, 질투는 항상 음험하다. 그것은 어린이의 질투에 있어서조차 그러하다.

　사랑과 질투는 모든 정념 중에서 가장 술책적術策的이다. 그것들은 다른 정념에 비해 훨씬 지속적인 성질의 것이다. 따라서 거기에 이지理智의 술책術策이 들어갈 수 있다. 그리고 반대로 이지의 술책에 의해 그것들의 정념은 지속성을 더하는 것이다. 어떠한 정념도 사랑과 질투만큼 인간을 괴롭히지 않는다. 왜냐하면 다른 정념은 그다지 지속적이지 않고, 질투의 고통 속에서 모든 술책이 나오기 때문이다. 게다가 사랑은 질투의 혼입에 의해 술책적으로 되는 것이 얼마나 많은가? 그러므로 술책적인 사랑만 즐기는 사람은 상대에게 질투를 일으키게 하는 수단을 이용한다.

　질투는 평소에는 '생각'하지 않는 인간도 '생각'하게 한다.

사랑과 질투의 강점은, 그것들이 격렬한 상상력을 가동한다는 것에 기반을 두고 있다. 상상력은 마술적인 것이다. 사람은 자기 상상력으로 만들어낸 것에 대해 질투한다. 사랑과 질투가 술책적이라는 것도, 그것들이 상상력을 부추기고 상상력의 부추김을 받아 움직이는 데에서 생긴다. 게다가 질투에 상상력이 작용하는 것은 그 안에 혼입되어 있는 어떤 사랑에 의해서다. 질투 속에 사랑이 없고, 사랑 속에 악마가 없다고 누가 알 것인가?

질투는 자기보다도 높은 지위에 있는 자, 자기보다도 행복한 상태에 있는 자에 대해 일어난다. 그러나 그 차이가 절대적이지 않으며, 자기도 그 사람처럼 될 수 있다고 생각하는 것이 필요하다.

질투는 전혀 이질적이지 않아야 하고, 공통의 것이 없으면 나타나지 않는다. 게다가 질투는 질투를 받는 자의 위치에 자기를 높이려고 하지 않고, 오히려 그 사람을 자기 위치로 낮추려고 하는 것이 일반적이다. 질투가 보다 높은 것을 지향하는 듯이 보이는 것은 표면상의 일이다. 질투의 본질은 평균을 맞추는 것이다. 이 점은 사랑의 본성이 항상 보다 높은 것을 동경하는 것과 다르다.

질투는 사랑과 상반되는 성질의 것이다. 인간적인 사랑에 무엇인가 보완해야 할 것이 있는 것처럼, 질투는 끊임없이 그 안에 간섭하여 들어오는 것이다.

같은 직업의 사람이 진정한 친구가 되는 것은 다른 직업의 사람 사이에서보다도 훨씬 어렵다.

질투는 성질적인 것 위에 작용하는 것이 아니라 양적인 것 위에 작용하는 것이다. 특수한 것, 개성적인 것은 질투의 대상은 되지 않는다. 질투는 타자를 개성으로 인정하는 것과 자기를 개성으로 이해하는 것을 모른다. 일반적인 것에 관해 사람은 질투하는 것이다. 이것에 반해 사랑의 대상이 되는 것은 일반적인 것이 아니라 특수한 것, 즉 개성적인 것이다.

질투는 항상 마음속 깊숙이 타오르는 것임에 불구하고, 전혀 내면성을 모른다.

질투라는 것은 신앞에서 모든 인간이 평등하다는 것을 모르는 자가 인간 세계에서 평균화를 바라는 경향이 있다.

질투는 나다니며 집을 지키지 않는다. 그것은 자기 안에 머무르지 않고 끊임없이 밖으로 나가고자 하는 호기심이 하나의 큰 원인이 되고 있다. 질투가 혼입되지 않는 악의 없는 호기심은 매우 드물다. 하나의 정념은 지성에 의해서보다도 다른 정념에 의해 한층 더 잘 제어될 수 있다는 것은 일반적인 진리이다. 만일 영웅은 질투심이 없다는 말이 사실이라면 그들에게 공명심이나 경쟁심이라는 다른 정념이 질투보다도 강하고, 그리고 중요한 것은, 한층 지속적인 힘이 되어 있다는 것이다.

공명심이나 경쟁심은 종종 질투와 착각된다. 그러나 양자의 차이는 명료하다. 먼저 공명심이나 경쟁심은 공공의 장소를 알고 있는 것에 반해, 질투는 그것을 모른다. 질투는 모든 공적인 일을 사적인 일로 해석해서 생각한다. 질투가 공명심이나 경쟁심으로 전화되는 것은 그 반대의 경우보다도 훨씬 어렵다.

질투는 항상 다망하다. 질투처럼 다망하고 게다가 비생산적인 정념의 존재를 나는 모른다.

만일 악의 없는 마음이라는 것을 정의하려고 한다면, 질투가 없는 마음이라고 하는 것이 무엇보다도 적당할 것이다.

자신감이 없는 것에서 질투가 생긴다고 하는 것은 맞다. 그렇다고 해도 아무런 자신감도 없으면 질투가 생기지도 않는다. 그러나 질투는 그 대상이 자기가 질투하고 있는 바로 그 점을 피하고, 다른 점을 언급하는 것이 일반적이다. 질투는 사술의 성격을 띠고 있다.

질투심을 없애기 위해 자신감을 가지라고 말한다. 그러나 자신감은 어떻게 생기는 것일까? 스스로 사물을 만듦으로써 자신감이 생긴다. 질투로부터는 아무것도 만들어지지 않는다. 인간은 사물을 만듦으로써 자기를 만든다. 이러한 것들이 개성이 된다. 개성적인 인간만큼은 질투적이지 않다. 개성을 떠나서 행복이 존재하지 않는 사실도 이해될 것이다.

11 성공에 관해

오늘날 윤리학이 잃고 있는 모럴 중 두 가지 현저한 것은 행복과 성공이다. 게다가 그것은 상반되는 의미에서 그와 같이 되어 있다.
즉 행복은 더 이상 현대적인 것이 아니기에, 그리고 성공은 너무나도 현대적인 것이기에.

　고대나 중세 인간의 모럴morals(윤리, 도덕) 중에는 우리가 알고 있는 의미의 성공이라고 하는 것은 어디에도 존재하지 않는 것 같다. 그들의 모럴의 중심은 행복이었던 것에 반해 현대인의 모럴은 성공이라고 해도 좋을 것이다. 성공한다고 하는 것이 사람들의 주된 문제가 되었을 때, 행복이라는 것은 더 이상 사람들의 깊은 관심사가 아니게 되었다.

　성공 모럴이 근대에 특징적인 것은 진보 관념이 근대의 특징적인 것과 닮아 있다. 실은 양자 사이에 밀접한 관계가 있다. 근대 계몽주의啓蒙主義의 윤리 속에서 행복론은 행복의 모럴에서 성공의 모럴로의 추이를 가능하게 했다.

성공이라는 것은 진보의 관념과 마찬가지로 직선적인 향상으로 생각된다. 그런데 행복에는 본래 진보라고 하는 것은 없다.

중용中庸[1]은 하나의 주요한 덕德일 뿐만 아니라 모든 덕의 근본이라고 생각해 왔다. 이 관념을 타파한 데에 성공의 모럴에 대한 근대적인 신선함이 있다.

성공의 모럴은 대개 비종교적인 것이며, 근대의 비종교적인 정신과 상응한다.

성공과 행복, 실패와 불행을 동일시하게 된 후 인간은 진정한 행복이 무엇인지를 이해할 수 없게 되었다. 자신의 불행을 실패로 생각하고 있는 인간이야 말로 참으로 불쌍히 여겨야 한다.

타인의 행복을 질투하는 자는 행복을 성공과 동일한 것으로 보고 있는 경우가 많다. 행복은 각자의 것이며, 인격적인·성질적인 것이지만 성공은 일반적인 것 또는 양적으로 생각될 수 있다. 그러므로 성공은 그 본성상 타인의 질투를 수반하기 쉽다.

행복이 존재에 관여하는 것에 반해 성공은 과정에 관여하고 있다. 그러므로 타인으로부터는 그의 성공이라고 보이는 것에 대해 스스로 자신과 관련이 없는 것처럼 무관심한 인간이 있다. 이와 같은 인간은 이중으로 타인으로부터 질투 받을 우려가 있다.

슈트레버Streber(출세주의자, 야심가)는 독일어에서 가장 적절하게 표현되는 종류의 성공주의자라는 말로 속물 중의 속물을 뜻 한다. 다른 종류의 속물은 때로는 줏대 없이 속물인 것을 그만둔다. 그런데 이 노력가 유형의 성공주의자는 결코 궤도에서 벗어나지 않기 때문에 그만큼 속물로서 완전하다.

출세주의자Streber라고 하는 것은, 삶이 애초에 모험이라고 하는 형이상학적 진리를 어떠한 경우에도 이해하지 않는 인간을 말한다. 이 노력가 유형은 상상력의 결핍을 특징짓고 있다.

성공도 인생의 본질적인 모험에 속하다고 하는 것을 이해할 때, 성공주의는 의미를 이루지 못하게 될 것이다. 성공을 모험의 견지에서 이해할지, 모험을 성공의 견지에서 이해할지는 본질적으로 다른 것이다. 성공주의는 후자의 경우이며 거기에는 참된 모험은 없다. 인생은 도박이라는 말만큼 제멋대로 이해되어 남용되고 있다.

일종의 스포츠로서 성공을 추구하는 자는 건전하다.

순수한 행복은 각자에게는 오리지널한 것이다. 그러나 성공은 그렇지 않다. 에피고넨툼(추수자풍追隨者風)은 많은 경우, 성공주의자와 결부되어 있다.

근대의 성공주의자는 유형으로서는 명료하지만 개성은 아니다.

고대에서는 개인의식은 발달하지 않았지만, 그 만큼 유형적인 인간이 개성적이라고 하는 것이 있었다. 개인의식이 발달한 지금은 오히려 유형적인 인간이 양적, 평균적 인간으로 개성적이 아니게 되었다. 현대문화의 비극, 혹은 오히려 희극은 유형과 개성의 분리에 있다. 거기에 개성으로서는 유형적인 강점이 없고, 유형으로서는 개성적인 선명함이 없는 인간이 만들어진 것이다.

성공의 모럴은 옵티미즘optimism(낙관론)에 유지되고 있다. 인생에 대한 성공의 의의는 주로 이 옵티미즘의 의의이다. 옵티미즘의 근저에는 합리주의合理主義 혹은 주지주의主知主義가 없으면 안 된다. 그런데, 옵티미즘이 이러한 방향으로 발전하게 되면, 여전히 성공주의로

남을 수 있을까?

성공주의자가 비합리주의자인 경우 그는 가공할 만하다.

근대적인 모험심, 합리주의와 옵티미즘, 진보의 관념이 혼합되어 나온 최고의 것은 기업가 정신이다. 고대의 인간사상이 현자賢者이며, 중세의 인간사상이 성자聖者인 것처럼 근대의 인간사상은 기업가라고 할 수 있을 것이다. 적어도 그처럼 생각되어야 할 많은 이유가 있다. 그런데 근대의 기업가 사상이 일반적으로는 순수하게 파악되지 않았던 것은 근대의 배금주의拜金主義[4]의 결과이다.

만일 사람들이 어느 정도의 권력을 가지고 있다고 하면, 성공주의자만큼 부리기 쉬운 것은 없을 것이다. 부하를 부리는 가까운 길은 그들에게 입신출세의 이데올로기를 주입시키는 것이다.

나는 니체의 모럴의 근본이 성공주의자에 대한 극단적인 반감에서 나온 것을 안다.

12

명상에 관해

예를 들어 한창 남과 대담하고 있을 때, 나는 갑자기 입을 다물어 버리는 경우가 있다. 그럴 때 나는 명상의 방문을 받는 것이다. 명상은 항상 불의의 손님이다. 나는 그것을 초대하는 것도 아니고, 또 초대할 수도 없다. 그러나 그것이 올 때는 어느 것에도 구애받지 않고 오는 것이다. "지금부터 명상하자." 하는 것은 일반적으로 얼토당토않은 일이다. 내가 할 수 있는 것은 기껏해야 이 불의의 손님에 대해 항상 준비를 해 두는 것이다.

사색이 아래에서 올라가는 것이라고 한다면, 명상은 위에서 내려오는 것이다. 그것은 어떤 천여天與[1]의 성질을 가지고 있다. 거기에 명상과 미스티시즘(신비주의)[2]의 가장 깊은 결합이 있다. 명상은 많든 적든 간에 미스틱한(신비주의적인)[3] 것이다.

이 예기치 않은 손님은 모든 경우에 올 수가 있다. 단지 혼자 조용히 있을 때만은 아니다. 매우 시끄러운 속에서도 명상은 온다. 그것은 오는 것이다. 고독은 명상의 조건이기보다도 결과이다. 예를 들어, 많은 청중을 향해 이야기하고 있을 때, 나는 갑자기 명상에 사로잡히는 경우가 있다. 그때 이 저항할 수 없는 침입자를 학살할지, 그렇지 않으면 그것에 완전히 몸을 맡기고 따라갈지 나는 선택해야 한다. 명상에는 조건이 없다. 조건이 없다는 것이 명상을 천여의 것이라고 생각하게 만드는 근본적인 이유이다.

플라톤은 소크라테스가 포티다이어 진영에서 만 하루를 계속 서서 명상에 잠겼다는 것을 기록하고 있다.[4] 그때 소크라테스는 분명 명상을 한 것이지 사색한 것은 아니다. 그가 사색한 것은 오히려 그가 아테네 시장에 나타나 아무나 잡고 담론했을 때이다. 사색의 근본 형식은 대화이다. 포티다이어 진영에서의 소크라테스와 아테네 시장에서의 소크라테스는 명상과 사색의 명료한 차이를 보여준다.

사색과 명상의 차이는 사람이 사색의 한 가운데 있을 때조차 명상에 빠지는 경우가 있다는 점에서 그 차이를 보여준다.

명상에는 과정이 없다. 이러한 점에서 명상은 본질적으로 과정적인 사색과 다르다.

모든 명상은 감미롭다. 이 때문에 사람들은 명상을 원하는 것이며, 그 범위 내에서 모든 인간은 신비주의에 대한 기호를 가지고 있다. 그러나 명상은 본래 우리의 의욕에 의존하는 것은 아니다.

모든 매력적인 사색의 매력은 명상이 신비주의적인 것, 형이상학적인 것에 기초하고 있다는 점이다. 그 의미에 있어서 모든 사상은 원래 달콤한 것이지만 사색자체가 달콤한 것은 아니다. 달콤한 사색이라는 것은 사색이 아닐 것이다. 사색의 근저에 있는 명상이 감미로운 것이다.

명상은 그 달콤함 때문에 사람을 유혹한다. 참된 종교가 신비주의에 반대하는 것은 이러한 유혹 때문일 것이다. 명상은 달콤한 것이지만, 그것에 유혹될 때 명상은 더 이상 명상이 아니게 되고, 몽상夢想이나 공상空想이 될 것이다.

명상을 살릴 수 있는 것은 사색의 엄격함이다. 불시의 방문자인 명상에 대한 대처는 사색의 방법적 훈련을 준비하는 것이다.

명상벽瞑想癖[5]이라는 말은 모순이다. 명상은 전혀 습관이 될 수 있는 성질의 것은 아니기 때문이다. 성벽性癖[6]이 된 명상은 전혀 명상이 아니고, 몽상이나 공상이다.

명상이 없는 사상가는 존재하지 않는다. 명상은 그에게 비전을 주는 것이며, 비전이 없는 진정한 사상은 존재하지 않기 때문이다. 진정으로 창조적인 사상가는 항상 이미지에 입각하여 엄격한 사색에 집중한다.

근면은 사상가의 주요한 덕德이다. 그것에 의해 사상가와 소위 명상가 혹은 몽상가가 구별된다. 물론 사람은 근면만으로 사상가가 될 수는 없다. 근면에는 명상이 없으면 안 되기 때문에 진정한 사상가는 끊임없이 명상의 유혹과 싸운다.

사람은 쓰면서, 혹은 쓰는 행위를 통해 사색할 수 있다. 그러나 명상은 그렇지 않다. 명상은 말하자면 정신의 휴일이다. 정신은 일과 마찬가지로 여가가 필요하다. 지나치게 많이 쓰는 것도 전혀 쓰지 않는 것도 모두 정신에게 유해하다.

철학적 문장에서 파우제라고 하는 것은 명상이다. 사상의 스타일은 주로 명상적인 것에 의존하고 있다. 명상이 리듬이라고 하면, 사색은 택트(박자)이다.

명상의 달콤함 속에는 많든 적든 간에 항상 에로스적인 것이 있다.

명상에 사색이 있는 것은 신체에 정신이 있는 것과 같다.

명상은 사상적 인간의 말하자면 원죄原罪이다. 명상과 신비주의 속에 구원이 있다고 생각하는 것은 이단이다. 종교적 인간의 경우와 마찬가지로 사상적 인간에게도 구제(구원)가 있으나, 그것은 단지 말로 주어진다.

13

소문에 관해

소문은 불안정한 것, 불확정한 것이다. 게다가 스스로는 손을 쓸 수도 없는 것이다. 우리는 이 불안정한 것, 불확정인 것에 둘러 쌓여서 살아갈 수밖에 없다.

그렇다면 소문은 우리에게 운명과 같은 것일까? 그것은 운명이라고 하기에는 너무나도 우연적인 것이다. 게다가 이 우연적인 것은 때로는 운명보다도 강하게 우리의 존재를 결정하는 것이다.

만일 그것이 운명이라면, 우리는 그것을 사랑해야 한다. 또 만일 그것이 운명이라면, 우리는 그것을 개척해야 한다. 그러나 소문은 운명이 아니다. 그것을 운명처럼 사랑하거나 개척하려는 것은 어리석은 일이다. 우리가 조금도 구애받아서 안 되는 이것이 우리의 운명조차 결정한다고 하는 것은 어떤 것일까?

　소문은 항상 우리 멀리에 있다. 우리는 그 존재조차 모르는 경우가 많다. 이 먼 것이 우리에게 이렇게도 밀접하게 관계되는 것이다. 게다가 이 관계는 붙잡을 수 없는 우연의 집합이다. 우리의 존재는 눈에 보이지 않는 무수한 우연의 실에 의해 어디인지도 모르는 곳과 연결되어 있다.

　소문은 평판으로서 하나의 비평이라고 하지만, 그 비평에는 어떤 기준이 없거나, 그렇지 않으면 무수의 우연적인 기준이 있다. 따라서 소문은 본래 비평이 아니고 극히 불안정하고 불확실하다. 게다가 이 불안정하고 불확실한 것이 우리 사회에 존재하는 하나의 중요한 형식인 것이다.

평판을 비평처럼 받아들이고, 이것과 진지하게 대질[1]하려는 것은 의미없다. 도대체 누구를 상대하려는 것일까? 상대는 어디에도 없거나, 그렇지 않으면 도처에 있다. 게다가 우리는 이 대질할 수 없는 것과 끊임없이 대질을 강요받고 있다.

소문은 누구의 것도 아니다. 소문이 난 당사자의 것도 아니다. 소문이 사회적인 것이라고 하더라도 엄밀히 말하면, 사회의 것도 아니다. 실체가 없는 것은 아무도 믿지 않는다고 하면서도 모두 그것을 믿고 있다. 소문의 원초적인 형식은 픽션이다.

소문은 이와 같은 것이면서도 소문으로서 존재하게 되면 더 이상 정념이 아닌 관념인 것이다.-열정으로 이야기된 소문은 소문으로 받아들이지 않을 것이다.-말하자면 제1차 관념화[2] 작용이 있다. 제2차 관념화 작용은 소문에서 신화로 전화되어 관념화된다. 신화는 고차원적인 픽션이다.

모든 소문의 근원이 불안하다는 것은 진리를 포함하고 있다. 사람은 자기 불안으로 부터 소문을 만들고, 받아들이고 또 전한다. 불안은 정념 중의 하나의 정념이 아니라 오히려 모든 정념을 움직이는 것, 정념 위에 정념이라고 해야 할 정념을 초월한 것이다.

불안과 허무가 하나로 생각되는 것도 이것에 의해서이다. 허무에서 나온 소문은 픽션이다.

소문은 과거도 미래도 모른다. 소문은 본질적으로 현재의 것이다. 이 부동적인 것에 우리가 다음에서 다음으로 옮겨 담은 정념과 합리화한 가공은 그것을 신화화神話化해 가는 결과가 된다. 그러므로 소문은 영속함에 따라 신화로 변화되어 간다. 그 소문이 어떤 것이든 우리는 소문이 나서 멸망하지는 않는다. 소문을 언제까지나 소문으로 멈춰 둘 수 있을 정도로 무관심하고 태현할 수 있는 인간은 적기 때문이다.

소문에는 책임자라고 하는 것이 없다. 그 책임을 떠맡고 있는 것을 우리는 역사라고 부르고 있다.

소문으로 존재하는지 아닌지는, 사물이 역사적인 것인지 아닌지를 구별하는 하나의 징표이다. 자연의 것이라고 해도 소문이 될 경우 그것은 역사의 세계에 들어가 있는 것이다. 인간의 경우라고 해도 역사적 인물이면 일수록 그는 더 자주 남의 소문에 오를 것이다.

역사는 모두 이와 같이 불안정한 것 위에 의존하고 있다. 그렇다고 하더라도 소문은 사물이 역사에 들어가는 입구에 지나지 않는다. 대부분의 것은 이 입구에 설 뿐 사라져 버린다. 정말 역사가 된 것은 더 이상 소문으로 존재하는 것이 아니라 오히려 신화로서 존재하는 것이다. 소문에서 신화로의 범주 전화転化, 거기에 역사의 관념화 작용이 있다. 이와 같이 역사는 정념 안에서 관념 또는 이념을 만들어 낸다. 이것은 역사의 깊은 비밀에 속한다.

소문은 역사에 들어가는 입구에 지나지 않지만, 그것은 역사의 세계에 들어가기 위해 한 번은 지나가야 하는 입구인 것 같다. 역사적인 것은 소문이라고 하는 이 몹시 난폭한 것, 불안정한 것 속에서 나오는 것이다. 그것은 사물이 결정結晶되기 전에 먼저 없으면 안 될 진탕震盪[3]과 같은 것이다.

역사적인 것은 비평 속에서보다도 소문 속에서 결정된다. 사물이 역사가 되기 위해서는 비평을 통과하는 것 만으로는 부족하다. 소문이라고 하는 더욱 변덕스러운 것, 우연적인 것, 불확정적인 것 속을 통과해야 한다.

소문보다도 유력한 비평이라고 하는 것은 극히 드물다.

역사는 불확정한 것 속에서 나온다. 소문은 가장 불확정한 것이다. 게다가 역사는 가장 확정적인 것이 아닐까?

소문은 확률의 문제이다. 게다가 그것은 물리적 확률과는 다른 역사적 확률의 문제이다. 누가 그 확률을 계산할 수 있을까?

남의 이야기를 하듯 비평하는 비평가는 많다. 그러나 비평을 역사적 확률의 문제로서 다루는 비평가는 드물다. 내가 아는 범위에서는 폴 발레리[4]가 이에 해당한다. 이와 같은 비평가에게는 수학자와 같은 지성이 필요하다. 그러나 얼마나 많은 비평가가 독단적일까? 또 얼마나 많은 비평가가 자신도 세상도 믿고 있는 것과는 반대로, 비평적이라기보다도 실천적일까?

14

이기주의에 관해

일반적으로 우리 생활을 지배하고 있는 것은 기브·앤드·테이크give and take의 원칙이다. 그런고로 순수한 이기주의라고 하는 것은 전혀 존재하지 않거나 혹은 극히 드물다. 도대체 누가 받지 않고 단지 주기만 할 수 있을 정도로 유덕有德 혹은 오히려 유력할 수 있을까? 반대로 도대체 누가 주지 않고 단지 받기만 할 수 있을 정도로 유력하거나, 혹은 오히려 유덕할 수 있을까? 순수한 영웅주의가 드문 것처럼, 순수한 이기주의 또한 드물다.

우리 생활을 지배하고 있는 기브·앤드·테이크의 원칙은 대부분의 경우, 우리는 의식하지 않고 그것에 따르고 있다. 바꿔 말하면, 우리는 의식하지 않고서는 이기주의가 될 수 없다.

이기주의자가 기분 나쁘게 느껴지는 것은 그가 이기적인 인간이기 때문이라기 보다 그가 의식적인 인간이기 때문이다. 그러기에 이기주의자를 괴롭히는 것은 상대가 아니라 그의 자의식自意識이다.

이기주의자는 원칙적인 인간이다. 왜냐하면 그는 의식적인 인간이기 때문이다. 사람은 습관에 의해서만 이기주의일 수 있다. 이들 두 개의 명제는 상호 모순되는 명제 속에서 인간의 힘과 무력無力을 나타내고 있다.

우리 생활은 일반적으로 기브·앤드·테이크의 원칙에 따르고 있다고 말하면 대부분의 사람이 어느 정도는 반감을 가질 것이다. 그것은 인생에 있어서 실증적인 것이 얼마나 곤란한지를 보여주고 있다. 이기주의라고 하는 것조차 거의 모든 것이 상상 속의 것이다. 게다가 이기주의자인 요건은 상상력을 가지지 않는다는 것이다.

이기주의자가 비정하게 생각되는 것은, 그에게 애정이라든가 동정이 없기 때문이라기 보다 그에게 상상력이 없기 때문이다. 이처럼 상상력은 인생에서 근본적인 것이다. '인간은 이성에 의해'라고 하기보다 '상상력에 의해' 동물과 구별된다. 애정도 상상력 없이는 아무것도 아니다.

애정은 상상력에 의해 재어진다.

실증주의實証主義는 본질적으로 비정非情하다. 실증주의의 끝이 허무주의인 것이기에 당연한 일이다.

이기주의자는 어설픈 실증주의자이다. 그렇지 않으면 깨달음이 없는 허무주의자라고 할 수 있을것이다.

이기적인 것과 실증적인 것은 종종 바꿔치기 된다. 하나는 자기 변호를 위해, 또 하나는 타인을 공격하기 위한 것이기 때문이다.

우리의 생활을 지배하는 기브·앤드·테이크의 원칙은 기대의 원칙이다. 주는 것에는 받는 것이, 받는 것에는 주는 것이 기대된다. 그것은 기대의 원칙으로 결정론적인 것이 아니라 오히려 확률론적인 것이다. 이와 같이 인생은 개연성 위에 성립되어 있다. 인생에서 개연적인 것은 확실한 것이다.

우리의 생활은 기대 위에 성립한다.

기대는 타인의 행위를 구속하는 마술적인 힘을 가지고 있다. 우리의 행위는 끊임없이 그 심리적 속박 하에 있다. 도덕의 구속력도 기대에 기초를 두고 있다. 타인의 기대에 반하는 행위를 한다는 것은 생각하는 것보다 훨씬 어렵다. 때로는 사람들의 기대에 완전히 반해 행동하는 용기를 가져야 한다. 세상이 기대하는 대로 살아가는 사람은 결국 자신을 발견하지 못하고 끝나는 경우가 많다. 수재라고 했던 사람이 평범한 인간으로 끝나는 것은 그 한 예라고 할 수 있다.

이기주의자는 기대하지 않는 인간이다. 따라서 신뢰가 없는 사람이다. 그러기에 그는 항상 시기심에 고통 받는다.

기브·앤드·테이크의 원칙을 기대의 원칙으로가 아니라 타산의 원칙으로 생각하는 것이 이기주의자인 것이다.

인간이 이기적인지 아닌지는, 그 수입계정을 얼마나 먼 미래로 연장시킬 수 있는가 하는 문제이다. 이 시간적인 문제는 단순한 타산의 문제가 아니라 기대와 상상력의 문제이다.

이 세상에서 얻을 수 없는 것을 사후에 기대하는 사람은 종교적이라고 불린다. 이것이 칸트[5]가 말하는 신의 존재증명[6]의 요약이다.

이기주의자는 다른 인간이 자기와는 같지 않을 것이라는 것을 암묵적으로 전제하고 있다. 만일 모든 인간이 이기적이라고 한다면, 그의 이기주의는 성립할 수 없는 테니까. 이기주의자의 오산은 그 차이가 단지 계정 기한의 문제인 것을 이해하지 않는 데에 있다. 그리고 이것은 그에게 상상력이 결여되어 있다는 증거이기도 하다.

이기주의자는 자신이 충분히 합리적인 인간이라고 생각하고 있다. 그것을 그는 공언도 하고 자랑도 한다. 그는 자신의 이지의 한계가 상상력의 결핍에 있는 것을 이해하지 못한다.

모든 인간이 이기적이라고 하는 것을 전제로 한 사회계약설은[7] 상상력이 없는 합리주의의 산물이다. 사회의 기초는 계약이 아니라 기대이다. 사회는 기대의 마술적인 구속력 위에 세워진 건물이다.

어떤 이기주의자는 자기의 특수한 이익을 일반적인 이익이라 주장한다.-거기에서 얼마나 많은 이론이 만들어져 있는가?- 이것에 반해 사랑과 종교에서는 이익보다는 오히려 단적으로 자기를 주장한다. 그것들은 이론을 경멸하는 것이다.

이기주의라고 하는 말은 대부분 항상 타인을 공격하기 위해 사용된다. '주의'라고 하는 것은 자기가 칭하는 것보다도 반대자로부터 강요받는 것이라는 점의 가장 일상적인 예가 여기에 있다.

15
건강에 관해

무엇이 자기에게 이익이 되고, 무엇이 자기에게 해가 될까? 이것을 관찰하는 것이 건강을 유지하는 최상의 물리학이라고 하는 것에는 물리학의 법칙을 초월한 지혜가 있다. 나는 여기에 이 베이컨의 말을 적지 않을 수가 없다. 이것은 극히 중요한 양생훈養生訓이다.[1] 게다가 그 근저에 있는 것은 건강은 각자의 것이라고 하는 단순한, 단순하기에 경건하다고 조차 말할 수 있는 진리이다.

누구도 다른 사람을 대신하여 건강해질 수 없다. 그리고 누구도 나를 대신하여 건강해 질 수 없다. 건강은 온전히 각자의 몫이다. 그리고 바로 그러한 점이 평등한 것이다. 나는 거기에 어떤 종교적인 것을 느낀다. 모든 양생법養生法은 거기에서 출발해야 한다.

　풍채나 기질이나 재능이 그 사람의 개성이라는 것은 누구나 알고 있다. 그런데 건강도 그와 마찬가지로 그것이 완전히 개성적인 것이라는 것을 모두 이해하고 있을까? 이 경우 사람은 단지 건강하다든가 약하다든가 하는 극히 일반적인 판단으로 만족하고 있는 것처럼 생각된다. 그런데 연애나 결혼이나 교제에서 행복과 불행을 결정하는 하나의 가장 중요한 요소는 각자의 건강에서 극히 개성적인 것이다. 생리적 친화성은 심리적 친화성에 못지않게 미묘하고 중요하지만, 많은 사람은 그것을 알아차리지 못한다. 그러나 본능이 그들을 위해 선택을 하는 것이다.

　이와 같이 건강이 개성적인 것이라고 한다면, 건강에 대한 규칙은 인간적 개성에 관한 규칙과 다르지 않을 것이다. 즉 먼저 자기 개성을 발견하는 것, 그 개성에 충실한 것 그리고 그 개성을 형성해 가는 것이다. 생리학의 규칙과 심리학의 규칙은 같다. 혹은 생리학의 규칙은 심리학적이 되지 않으면 안 되고, 반대로 심리학의 규칙은 생리학적이 되지 않으면 안 된다.

양생론養生論의 바탕에는 모든 자연철학이 있다. 이것은 이전의 동양에서도 서양에서도 그러했고, 오늘날도 또 그래야 한다. 여기에 자연철학이라고 하는 것은, 물론 그 의학이나 생리학을 말하는 것은 아니다. 자연철학과 근대과학의 다른 점은 후자가 궁핍에서 출발하는 것에 대해, 전자는 소유에서 출발하는 데에 있다고 할 수 있을 것이다. 발명은 궁핍에서 생긴다. 그러므로 후자가 발명적인 것에 반해, 전자가 발견적이라고 할 수도 있을 것이다. 근대 의학은 건강의 궁핍함에서 병감病感이라는 말이 나왔다.. 그런데 이전의 양생론에서는 가지고 있는 건강에서 출발하여, 어떻게 이 자연의 것을 형성하면서 유지하는가 하는 것이 문제였다. 건강은 발명하지 않는다. 병이 발명하는 것이다.

건강의 문제는 인간적 자연의 문제이다. 그 이유는 건강이 단순한 신체의 문제가 아니라는 점이다. 건강에는 신체의 체조와 함께 정신의 체조도 필요하다.

나의 신체는 세상 사물 중에서 나의 사상을 변화시킬 수 있다.

상상의 병은 실제 병이 될 수 있다. 그러나 나의 가정假定으로 다른 사물의 질서를 어지럽히는 일은 없다. 건강을 위해서는 무엇보다 자기 신체에 관한 공포를 멀리해야 한다. 공포는 효과 없는 동요를 일으킬 뿐이다. 그리고 근심은 항상 공포를 고조시킬 것이다. 사람은 자기가 파멸되었다고 생각하게 된다. 그런데 어떤 긴급한 상황이 발생하면 그는 일단 자기 생명이 온전하다는 것을 발견하는 예가 많다.

'자연을 따르라' 라고 하는 것이 건강법健康法의 공리公理[3]이다. 이 말의 의미는 형이상학적인 함의로부터 이해하는 것이 필요하다. 먼저 자연은 일반적인 것이 아니라 개별적인 것, 또 자기 형성적인 것이다. 자연을 따른다고 하는 것은 자연을 모방하는 것을 의미한다.-모방은 근대적인 발명의 사상과는 다르다.-그 이익은 쓸데없는 불안을 없애고 안심을 주는 도덕적 효과에 있다.

건강은 사물의 형태라고 하는 것처럼 직관적이고 구체적인 것이다.

근대의학이 발달한 후에도 건강의 문제는 궁극적으로 형이상학의 문제였다. 거기에 무엇인가 변화가 있어야 한다면 그 형이상학이 새로운 것이 되지 않으면 안 된다고 할 뿐이다. '의사의 불섭생[4]'이라고 하는 속담은 양생養生에 관해서는 의사도 형이상학이 필요하다는 것을 보여주는 것과 같다.

객관적인 것은 건강이며, 주관적인 것은 병적이다. 이 말 안에 함의되어 있는 형이상학으로부터 사람들은 훌륭한 '양생훈養生訓'을 도출해낼 수 있을 것이다.

건강의 관념에 가장 큰 변화를 준 것은 기독교였다. 이 영향은 그 주관성의 철학에서 생긴 것이다. 건강의 철학을 추구한 니체가 그와 같이 혹독하게 기독교를 공격한 것은 당연하다. 그러나 니체 자신의 주관주의는 그가 그렇게 추구했던 건강의 철학에 대해 파괴적이었다. 여기서 주의해야 할 것은, 근대과학의 객관주의는 근대의 주관주의를 단지 뒤집은 것이며 이것과 쌍생아라고 하는 점이다. 이렇게 해서 주관주의가 나오면서 병의 관념은 독자성을 지니게 되고 고유의 의미를 얻게 된 것이다. 병은 건강의 결핍이라고 하기보다 적극적인 의미가 되었다.

근대주의가 다다른 곳은 인격의 분해라고 일컬어진다. 그런데 그것과 함께 중요한 사건은 건강의 관념도 분열되고 말았다는 점이다. 현대인은 더 이상 건강의 완전한 이미지를 지니지 않는다. 거기에 현대인의 불행의 원인이 있다. 어떻게 하면 건강의 완전한 이미지를 되찾을까? 이것이 오늘날 풀어야할 가장 큰 문제 중 하나이다.

"건강 그 자체라고 하는 것은 없다"[5] 고 니체는 말했다. 이것은 과학적 판단이 아니라 바로 니체 철학을 표명한 것이다. "일반적으로 무엇이 병인지는 의사의 판단보다도 환자의 판단 및 각각의 문화권의 지배적인 견해에 의존하고 있다." 고 칼 야스퍼스[6]는 말한다. 그리고 그가 생각하는 것처럼 병이나 건강은 존재판단存在判斷[7]이 아니라 가치판단價値判斷[8]이라고 한다면, 그것은 철학에 속하게 될 것이다.

경험적인 존재개념으로는 평균이라는 것을 들고 나올 수밖에 없다. 그러나 평균적인 건강이라고 하는 것이 각자의 개성적인 건강에 대한 본질적인 것을 파악할 수 없다. 만일 또 건강을 목적론적目的論的 개념[9]이라고 한다면, 건강은 과학의 범위를 이탈하게 될 것이다.

자연철학 혹은 자연 형이상학이 상실되었다고 하는 것이 이 시대에 이렇게까지 건강을 잃게 된 원인이 되었다. 그리고 그것이 또한 이 과학적 시대에 병에 관해 이렇게까지 많은 미신이 존재하게 된 이유이다.

실제로 건강에 관한 많은 기술은 항상 어떤 형이상학적 원리를 포함하고 있다. 예를 들면, 변화를 행하고 반대의 것을 교환하라. 그러나 보다 온건한 극단에 대한 취향으로. 절식絶食과 포식飽食을 이용하라, 그러나 오히려 포식을. 깨어 있는 것과 잠자는 것을, 그러나 오히려 자는 것을. 앉아 있는 것과 움직이는 것을, 그러나 오히려 움직이는 것을.-이것은 하나의 형이상학적 사고이다. 예컨데, 그냥 한 가지 것을 바꾸는 것은 좋지 않다. 한 가지 것보다도 많은 것을 바꾸는 것이 보다 안전하다.-이것도 하나의 형이상학적 원리를 나타내고 있다.

건강이라는 것은 평화라고 하는 것과 같다. 거기에는 아마 많은 종류의 것들이 있고, 또 많은 가치가 다른 것들이 있을 것이다.

16
질서에 관해

예를 들어 처음 온 가정부에게 자기 서재의 청소를 맡긴다고 하자. 그녀는 책상 위나 주위에 어지럽게 놓인 책이나 서류나 문방구 등을 정리하고 깨끗하게 정돈해 놓을 것이다. 그리고 그녀는 만족한다. 그런데 지금 내가 책상을 마주하고 일을 하려고 할 경우, 나는 왠지 불편함을 느끼게 되고, 한 시간도 지나지 않아, 모처럼 말끔히 정돈되어 있는 것을 뒤엎고 원래와 같이 어지럽게 해 버릴 것이다.

이것은 질서라고 하는 것이 무엇인가를 보여주는 하나의 단순한 예이다. 외견상 매우 잘 정리되어 있는 것이 반드시 질서가 있는 것이 아니라 일견 무질서하게 보이는 곳에 오히려 질서가 존재하는 것이다. 이 경우 질서라고 하는 것이 마음의 질서와 관련되어 있는 것은 분명하다. 어떤 외적 질서도 마음의 질서에 합치되지 않는 한, 진정한 질서가 아니다. 마음의 질서를 도외시하고 어떤 식으로 외면의 질서만 가지런히 한다고 해도 마음은 공허하다.

질서는 생명을 있게 만드는 원리이다. 거기에는 항상 따스함이 없으면 안 된다. 사람은 따스함에 의해 생명의 존재를 감지한다.

그리고 질서는 충실을 기하는 것이 아니면 안 된다. 단지 잘라버리거나 걷어치우는 것만으로 질서가 생기는 것은 아니다. 허무는 분명히 질서와는 반대의 것이다.

그러나 질서는 항상 경제적인 것이다. 최소의 비용으로 최대의 효용을 올린다고 하는 경제의 원칙은 질서의 원칙이기도 하다. 이것은 극히 비근한 사실에 의해 증명된다.

절약은-통상적인 경제적인 의미에서의- 질서 존중의 하나의 형식이다. 이 경우 절약은 큰 교양일 뿐만 아니라, 종교적인 경건에도 다가갈 것이다. 역으로 말하면, 절약은 질서 숭배의 하나의 형식이라는 점에서 윤리적인 의미를 지니고 있다. 무질서는 많은 경우 낭비에서 온다. 그것은 마음의 질서가 무너진 금전의 낭비[1]에서도 그러하다.

시간의 이용이라는 것은 질서에 대한 사랑의 표현이다.

최소의 비용으로 최대의 효용을 올린다고 하는 경제의 원칙이 동시에 마음의 질서의 법칙이기도 한다는 것은 이 경제의 법칙이 실은 미학의 법칙이기도 하기 때문이다.

미학의 법칙은 정치적 질서에 관해서도 규범적일 수 있다. '시대의 정치적 문제를 미학에 의해 해결한다.'는 실러의 말[2]은 질서 문제에 관해서는 무엇보다 타당할 것이다.

지식만으로는 부족하다. 능력이 문제이다. 능력은 기술이라고 바꾸어 말할 수 있다. 질서는 마음의 질서에 관해서도 기술의 문제다. 이런 것이 이해될 뿐만 아니라 능력으로 획득되지 않으면 안 된다.

최소의 비용으로 최대의 효용을 올린다고 하는 경제의 법칙은 실은 경제적 법칙이라고 하기보다도 기술적 법칙이며, 그것은 미학

속에도 파고 들어가는 것이다.

플라톤은 소크라테스의 덕德은 마음의 질서라고 말하고 있다. 이것보다도 구체적이며 실증적인 덕의 규정을 나는 모른다. 오늘날 가장 망각하고 있는 것은 덕의 이러한 사고방식이다. 그리고 덕은 마음의 질서라고 하는 정의를 논증할 때, 소크라테스가 사용한 방법은 건축술, 조선술 등 여러 기술과의 비론比論[3]이었다는 점에 주의해야 한다. 이것은 비론 이상의 중요한 의미를 지니고 있는 것이다.

마음이라는 실체성이 없는 것을 어떻게 기술技術은 가능한가?라고 사람들은 말할 것이다.

현대물리학은 전자설 이후 물질에서 물체성物体性을 빼앗아갔다. 이 주장은 모든 물질계를 완전히 실체성이 없는 것처럼 보이게 한다. 우리는 '실체'의 개념을 피하고, 그것을 '작용'의 개념으로 치환해야 한다고 주장 한다. 수학적으로 기술된 물질은 모든 일상적인 친근감을 상실했다.

이는 이 물질관의 변혁에 상응하는 변혁이 그것과 아무런 관계도 없는 인간의 마음속에서 준비되어 실현되었다는 점이다. 현대인의 심리-반드시 현존의 심리학을 말하지 않는다.-와 현대물리학과의 평행을 명확하게 비평하는 것은 새로운 윤리학의 출발점이어야 한다.

지식인이라는 것은 원시적인 의미에서 물건을 만들 수 있는 인간을 가리키는 것이었다. 다른 인간이 만들 수 없는 것을 만들 수 있는 인간이 지식인이었다. 지식인의 이 원시적인 의미를 우리는 다시 한 번 확실히 우리 마음에 떠올리는 것이 필요하다고 생각한다.

호메로스[4]의 영웅들은 직접 수공업을 했다. 에우마이오스[5]는 직접 가죽을 재단하여 신발을 만들었다고 하며, 오디세우스[6]는 대단히 솜씨 좋은 목수이자, 소목장으로 기록되어 있다. 우리에게 이것은 선망의 대상이 될 가치가 있는 것이 아닐까?

도덕 중에도 수공업적인 것이 있다. 그리고 이것은 도덕의 기초적인 것이다. 그러나 곤란한 것은 오늘날 물적 기술에서 '도구'가 '기계'로 변화한 것과 같은 큰 변혁이 도덕의 영역에서도 요구되고 있다는 점이다. 만듦으로써 안다고 하는 것은 중요하다. 이것이 근대 과학에 있어서의 실증적 정신이며, 도덕도 그 의미에 있어서 완전히 실증적이어야 한다.

플라톤이 마음의 질서에 상응해서 국가의 질서를 생각한 것은 이상한 것이 아니다. 이 구상에는 깊은 지혜가 포함되어 있다.

모든 질서의 구상의 근저에는 가치체계価値体系[7]의 설정이 없으면 안 된다. 그런데 오늘날 유행의 신질서론의 기초에 어떠한 가치체계가 존재하는 것일까? 윤리학조차 오늘날은 가치체계의 설정을 포척抛擲[8]하고 게다가 교활하게도 태연한 체하는 상태이다.

니체가 일체의 가치 전환을 주창한 이후, 아직 어떠한 승인된 가치체계도 존재하지 않는다. 그 이후, 신질서의 설정은 항상 어떤 독재적인 형태를 취하지 않을 수 없었다. 일체의 가치 전환이라고 하는 니체의 사상 그 자체가 실은 근대사회가 도달한 가치의 아나키[9] 표현이었다.

근대 데모크라시[10]는 내면적으로는 소위 가치의 다신론多神論에서 무신론無神論으로, 즉 허무주의로 떨어져 갈 위험이 있었다. 이것을 가장 깊게 이해한 이가 니체였다. 그리고 이러한 허무주의, 내면적 아나키야 말로 독재정치의 지반이다. 만일 독재를 바라지 않는다면, 허무주의를 극복해서 내부로부터 다시 일어나야 한다.

그런데 오늘날 우리나라의 많은 인텔리겐치아[11]는 독재를 극단적으로 싫어하면서도 자기 자신은 아무리 하여도 니힐리즘(허무주의)에서 탈출할 수 없는 상태로 있다.

외적 질서는 폭력[12]에 의해서도 만들 수가 있다. 그러나 마음의 질서는 그렇지 않다.

인격이란 질서다. 자유라고 하는 것도 질서다. 이러한 것이 이해되지 않으면 안 된다. 그리고 그것이 이해될 때, 주관주의는 불충분하고, 어떤 객관적인 것을 인정하지 않으면 안 되게 될 것이다. 근대의 주관주의[13]는 질서 사상이 상실되면서 허무주의에 빠졌다.

소위 무無의 철학哲學[14]도 질서 사상, 특히 가치체계의 설정 없이는 절대주의[15]는 허무주의와 같아질 위험이 크다.

17 감상에 관해

정신이 무엇인지는 신체의 상태로 알 수 있다. 나는 움직이면서 기뻐할 수 있다. 기쁨은 내 운동을 심지어 활발하게 할 것이다. 나는 움직이면서 화낼 수 있다. 분노는 내 운동을 심지어 격렬하게 할 것이다. 그런데 감상感 傷의 경우, 나는 멈추어 선다. 적어도 정지에 가까운 상태가 내게 필요한 것처럼 생각된다. 움직이기 시작하자마자, 감상은 멈추거나 또는 다른 것으로 변화되어 간다. 그런고로 사람을 감상에서 벗어나게 하려면, 먼저 그를 일어나게 하고, 그에게 움직이는 것을 강요하는 것이다. 이와 같은 일이 감상의 심리적 성질 그 자체를 보여주고 있다. 일본인은 특별히 감상적이라고 하는 것이 맞는다고 하면, 그것은 일본인의 오랫동안의 생활양식과 관계가 있다고 생각되지 않을까?

감상의 경우, 나는 앉아서 바라다보고 있다. 일어나서 거기까지 움직여서 가는 것이 아니다. 아니, 나는 정말 바라다보는 것조차 안 할 것이다. 감상은 무엇에 관해 감상하더라도 결국 자기 자신에게 머무르는 것으로 사물 안에 들어가지 않는다. 비평이든 회의든 사물 안에 들어가지 않는 한, 하나의 감상에 지나지 않는다. 진정한 비평은, 진정한 회의는, 사물 안에 들어가는 것이다.

　감상感傷은 사랑, 증오, 슬픔 등 다른 정념과는 구분되어 그것들과 견주는 정념의 한 종류가 아니다. 오히려 감상은 모든 정념이 취할 수 있는 하나의 형식이다. 모든 정념은 가장 조야粗野한 것에서 가장 지적인 것에 이르기까지 감상의 형식이 존재하거나 또는 작용할 수 있다. 사랑은 감상이 될 수 있고, 증오도 감상이 될 수 있다. 간단히 말하면, 감상은 정념 중 하나의 보편적인 형식이다. 그것이 무엇인지 실체가 없는 것처럼 생각되는 것도 감상이 정념의 한 종류가 아닌 하나의 존재 양식이기 때문이다.

　감상은 모든 정념의 말하자면 표면에 있다. 그렇기 때문에 감상은 모든 정념의 입구임과 동시에 출구이다. 먼저 후자의 경우가 주목된다. 하나의 정념은 그 활동을 그만둘 때, 감상으로서 여운을 남기고 감상으로서 끝난다. 우는 것이 정념을 진정시키는 것인 이유도 거기에 있다. 우는 것은 격한 정념의 활동을 감상으로 바꾸기 위한 비근한 수단이다. 그러나 울기만 해서는 부족할 것이다. 쓰러져 정신없이 울어야 한다. 즉 정지가 필요하다. 그런데 특히 감상적이라고 일컬어지는 인간은 모든 정념에 그 고유의 활동을 부여하지 않고 표면의 입구에서 확산시켜 버리는 인간을 말한다. 따라서 감상적인 인간은 결코 깊다고는 할 수 없지만 무해한 인간이다.

감상은 모순을 알지 못한다. 사람은 사랑과 증오의 마음으로 분열된다고 한다. 그러나 그것이 감상이 되면, 사랑과 증오도 하나로 융합한다. 운동은 모순에서 생긴다고 하는 점에서 감상은 움직이는 것이라고는 생각하지 않을 것이다. 그것은 단지 흐른다. 오히려 그냥 떠돈다. 감상은 화해의 비근한 수단이다. 따라서 감상은 종종 종교적인 마음, 부서진 마음과 혼동한다. 우리의 감상적인 마음은 불교의 무상관無常觀에 영향을 받고 있는 점이 적지 않을 것이다. 그만큼 양자를 엄격하게 구별하는 것이 중요하다.

감상은 단지 감상을 불러일으킨다. 그렇지 않으면 그냥 사라져 간다.

정념은 그 고유의 힘으로 창조하거나 파괴한다. 그러나 감상은 그렇지 않다. 정념은 그 고유의 힘에 의해 이매지네이션$_{imagination}$(상상력, 구상)을 불러일으킨다. 그러나 감상에 수반되는 것은 다름 아닌 드림$_{dream}$(꿈, 몽상)이다. 이매지네이션은 창조적일 수 있다. 그러나 드림은 그렇지 않다. 거기에는 움직이는 것과 움직이지 않는 것과의 차이가 있을 것이다.

감상적인 것이 예술적인 것처럼 생각하는 것도 하나의 감상일 뿐이다. 감상적인 것이 종교적인 것처럼 생각하는 자는 더욱 더 감상적이라고 할 수 있다. 종교는 물론이고 예술도 감상으로부터의 탈출이다.

명상은 많은 경우 감상에서 나온다. 명상은 적어도 감상을 수반하거나, 혹은 감상으로 변화해간다. 사색하는 자는 감상의 유혹에 흔들리면 안 된다.

감상은 취미가 될 수 있고, 또한 종종 감상적이 되기도 한다. 감상은 그와 같이 감미로운 것이며 유혹적이다. 명상이 취미가 되는 것은 그것이 감상적으로 되기 때문이다.

모든 취미와 마찬가지로 감상은 본질적으로 단지 과거의 것 위에만 기능한다. 그것은 생기고 있는 것에 대해서가 아니라 생긴 것에 대해 기능하는 것이다. 지나간 것은 모두 감상적으로 아름답다. 감상적인 인간은 회고하는 것을 좋아한다. 사람은 미래에 대해 감상할 수 없다. 적어도 감상의 대상이 되는 그런 미래는 진정한 미래가 아니다.

감상은 제작적制作的[1]이 아니라 감상적鑑賞的이다. 그러나 나는 감상感傷에 의해 무엇을 감상鑑賞하는 것일까? 사물 속에 들어가지 않고 나는 사물을 감상할 수 있을까? 감상 속에서 나는 사물을 음미하고 있는 것이 아니라 자기 자신을 음미하고 있는 것이다. 아니 정확히 말하면, 나는 자기 자신을 음미하고 있는 것이 아니라 단지 감상 그 자체를 음미하고 있는 것이다.

감상은 주관주의이다. 청년이 감상적인 것은 이 시대가 주관적인 시기이기 때문이다. 주관주의자는 아무리 개념과 논리로 가장하려고 해도 내실은 감상주의자일 수밖에 없다.

모든 정념 중에서 기쁨은 감상적이 되기 어려운 정념이다. 거기에 기쁨이 지닌 특수한 적극성이 있다.

감상에는 개성이 없다. 그것은 진정한 주관성이 아니기 때문이다. 그런 의미에서 감상은 대중적이다. 그러므로 대중문학이라고 하는 것은 본질적으로 감상적이다. 대중문학 작가는 과거의 인물을 취급하는 것이 상례인 것도, 이것과 관련되어 있다. 그들과 순문학純文學 작가와의 차이는 그들이 현대의 인물을 똑같은 식으로 정교하게 그릴 수 없는 점에 있다. 이 간단한 사항 속에 예술론의 중요한 문제가 포함되어 있다.

감상은 대부분 매너리즘mannerism(천편일률적인 것)에 빠져 있다.

신체의 외관이 정신 상태와 반드시 일체하지 않는 것은 일견 매우 건강한 인간도 매우 감상적인 경우가 존재한다는 것으로 알 수 있다.

여행은 사람을 감상적으로 만든다고 한다. 그는 움직임으로써 감상적으로 되는 것일까? 만일 그렇다고 한다면, 내가 내린 최초의 정의는 틀리게 된다. 그러나 그렇지 않다. 여행에서 사람이 감상적으로 되기 쉬운 것은 오히려 그가 일상 활동에서 벗어나기 위해서이고 무위無為가 되기 위해서이다. 감상은 나의 위크엔드weekend이다.

행동적인 인간은 감상적이지 않다. 사상가는 행동하는 사람과 마찬가지로 사색하지 않으면 안 된다. 근면이 사상가의 덕德인 것은 그가 감상적으로 되는 유혹이 많기 때문이다.

모든 사물이 유전流転하는 것을 보고 감상적으로 되는 것은 사물을 파악해서 그 안에 들어갈 수 없는 자신을 느끼기 위해서이다. 자신도 또한 유전 속에 있는 것을 알 때, 나는 단순한 감상에 머무를 수 있을까?

감상에는 항상 무엇인가의 허영이 있다.

18
가설에 관해

사상이 무엇인가는 생활에 대비하여 생각해 보면 명료해질 것이다. 생활은 사실이다. 어디까지나 경험적인 것이다. 그것에 대해 사상에는 항상 가설적인 데가 있다. 가설적인 데가 없는 사상은 사상이라고 불리지 않을 것이다. 사상이 순수하게 사상으로 가지고 있는 힘은 가설의 힘이다. 사상은 그 가설의 크기에 따라 위대하다. 만일 사상에 가설적인 데가 없다고 한다면, 어떻게 해서 그것은 생활로부터 구별될 수 있을까? 생각한다고 하는 것도 그것 자체로서는 분명히 우리 생활의 일부분이고, 이것과 별개의 것은 아니다. 그런데 그것이 생활로부터 구별되는 것은, 생각한다고 하는 것이 본질적으로는 가설적으로 생각하는 것이기 때문이다.
　생각한다고 하는 것은 과정적으로 생각하는 것이다. 과정적인 사고이기 때문에 방법적이라고 할 수 있다. 그런데도 사고가 과정적인 것은 가설적으로 생각하기 때문이다. 즉 가설적인 사고이면서 방법적이라고 할 수 있다. 회의라고 해도 방법적이기 위해서는 가설에 의한것이어야 한다는 것이 데카르트의 회의 속에 모범적으로 나타나 있다.

가설적으로 생각한다고 하는 것은 논리적으로 생각한다고 하는 것과 단순히 같지 않다. 가설은 어떤 의미에서 논리보다도 근원적이며 논리는 오히려 가설에서 나온다. 논리 그 자체가 하나의 가설이라고 할 수도 있을 것이다. 가설은 자기 자신으로부터 논리를 만들어내는 힘마저 가지고 있다. 논리보다도 불확실한 것에서 논리가 나오는 것이다. 논리도 가설을 만들어내는 것이라고 생각되는 한, 그 자체가 가설적인 것이라고 생각하지 않으면 안된다.

모든 확실한 것은 불확실한 것으로부터 나오는 것이며, 그 반대가 아니라는 것은 깊이 생각해야 하는 것이다. 즉 확실한 것은 주어지는 것이 아니라 형성되는 것이며, 가설은 확실한 것을 형성하는 힘이다. 인식은 묘사가 아니라 형성이다. 정신은 예술가이지 거울이 아니다.

그러나 사상만이 가설적이며, 인생은 가설적이 아닌 것일까? 인생도 어떤 가설적인 것이다. 인생이 가설적인 것은, 그것이 허무로 이어지기 때문이다. 각 개인은 말하자면 하나의 가설을 증명하기 위해 태어났다. 살아 있는 것은, 다만 살아 있다는 것을 증명하기 위해서는 아닐 것이다.-그와 같은 증명은 대개 불필요하다.- 실은 하나의 가설을 증명하기 위해서이다. 그러므로 인생은 실험이라고 생각된다.-가설 없이 실험이라는 것은 있을 수 없다.- 원래 그것은 무엇이든지 마음대로 해 보는 것이 아니라 자기가 그것을 증명하기 위해 만든 고유의 가설을 추구하는 것이다.

인생이 가설적인 것이라고 한다면, 사상이 가설적인 것과 구별되는 것과 같은 방식으로 인생이 사상과 구별되는 어떤 것이 있어야 한다.

가설이 단지 논리적인 것이 아닌 것은 문학의 사고 안에도 가설이 있다는 점에서 분명하다. 소설가의 창작 행동은 오직 외곬으로 그의 가설을 증명하는 것이다. 인생이 가설의 증명이라고 하는 의미는 이것과 유사하다. 이 경우 가설은 적어도 단순한 사유에 속하는 것이 아니라 구상력에 속한다. 그것은 픽션이라고 할 수도 있을 것이다. 가설은 부정한 것, 가능한 것이다. 따라서 그것을 증명하는 것이 문제이다. 그것이 부정한 것, 가능한 것이라고 하는 것은 단지 논리의 의미에서가 아니라 오히려 존재의 의미에서이다. 바꿔 말하면, 그것은 인간의 존재가 허무를 조건으로 할 뿐만 아니라 허무와 혼합되어 있는 것을 의미하고 있다. 따라서 가설의 증명이 창조적 형성이어야 하는 것은 소설의 경우와 같다. 인생에서 실험이라는 것은 이와 같은 형성을 말하는 것이다.

상식을 사상으로부터 구별하는 가장 중요한 특징은 상식에는 가설이 없다는 점이다.

사상은 가설이 아니라 신념이어야 한다고 말할지도 모른다. 그런데 사상이 신념이어야 한다는 것이야 말로, 사상이 가설인 것을 보여주는 것이다. 상식의 경우에는 특별히 신앙은 필요 없다. 상식에는 가설적인 데가 없기 때문이다. 상식은 이미 하나의 신앙이다. 이것에 반해 사상은 신념이 되지 않으면 안 된다.

모든 사상다운 사상은 항상 극단적인 점을 지니고 있다. 왜냐하면 그것은 가설을 추구하기 때문이다. 이것에 대해 상식이 지니고 있는 큰 덕德은 중용中庸이라는 것이다. 그런데 진정한 사상은 행동으로 옮기면 사느냐 죽느냐 라고 하는 성질을 지니고 있다. 사상의 이 위험한 성질은 행동하는 사람은 알고 있으나, 사상에 종사하는 사람은 오히려 망각하고 있다. 다만 위대한 사상가만은 그것을 행동하는 사람보다도 깊이 알고 있다. 소크라테스가 침착한 태도로[3] 죽음에 임한 것은 그 때문이었을 것이다.

늘 오해를 받는 것이 사상가의 운명처럼 되어 있는 것은 세상에는 그의 사상이 하나의 가설인 것을 이해하는 자가 적기 때문이다. 그러나 그 죄의 절반은 대부분의 경우 사상가 자신에게도 있는 것으로 자신의 사상이 가설적인 것을 잊은 것이다. 그것은 그의 나태에 의한 것이 많다. 탐구가 계속되고 있는 한 사상의 가설적 성질은 끊임없이 드러난다.

절충주의折衷主義[4]가 사상으로 무력한 것은 가설의 순수함이 상실되었기 때문이다. 그것은 좋아하는지 좋아하지 않는지와 상관없이 상식에 접근한다. 상식에는 가설적인 데가 없다.

가설이라고 하는 사상은 근대과학이 초래한 아마도 최대의 사상이다. 근대과학의 실증성에 대한 오해는 그 안에 포함된 가설의 정신을 완전히 놓쳤던지, 아니면 올바르게 파악하지 않았던 데에서 생긴다. 이렇게 해서 실증주의는 허무주의에 빠지게 되었다. 가설의 정신을 모른다면 실증주의는 허무주의에 빠질 수밖에 없다.

19
위선에 관해

"인간은 태어나면서부터 거짓말쟁이이다." 라고 라 브뤼예르는 말했다.[1] "진리는 단순하며, 그리고 인간은 현란한 것, 화려하게 꾸미는 것을 좋아한다. 진리는 인간에 속하지 않는다, 그것은 말하자면 만들어지는 것으로, 모든 완전성은 하늘에서 온다. 그리고 인간은 자기 자신의 작품, 꾸며낸 일과 무료함을 달래기 위해 하는 이야기밖에 사랑하지 않는다." 인간이 태어나면서부터 거짓말쟁이라는 것은, 허영이 그의 존재의 일반적인 성질이기 때문이다. 거기에서 그는 현란한 것, 화려하게 꾸미는 것을 좋아한다. 허영은 그 실체에 따라 말하면 허무하다. 그러므로 인간은 꾸며낸 일과 무료함을 달래기 위해 하는 이야기를 만드는 것이며, 자기 자신의 작품을 사랑하는 것이다. 진리는 인간의 일이 아니다. 그것은 만들어지는 것으로, 그 모든 완전성은 인간과는 관계없이 거기에 있는 것이다.

　본성이 허영적인 인간은 위선적이다. 진리가 특별히 선이 있는 것이 아닌 것처럼 허영도 특별히 위선이 있는 것이 아니다. 선이 진리와 하나인 것을 이해한 자가 위선이 무엇인가를 이해할 수 있다. 허영이 인생에 약간의 효용을 가지고 있는 것처럼, 위선도 인생에 약간의 효용을 가지고 있다. 위선이 허영과 본질적으로 같다는 것을 이해하지 못하는 자는 위선에 대한 반감이라며 자기 자신이 하나의 허영의 포로가 되었다. 위선을 위악(僞惡)2)이라는 묘한 말로 불리는 것이 바로 그것이다. 그 위악이라는 것이야 말로 분명히 인간의 불안한 허영이 아닌가? 그것은 위선이 바로 허영이라는 것을 다른 면에서 명료하게 하는 것이다. 이와 같은 위악가(僞惡家)3)의 특징은 감상적이라는 점이다. 예전에 나는 위악가라고 칭하는 사람이 감상주의자가 아닌 사람을 본 적이 없다. 위선에 반감을 느끼는 그의 모럴도 바로 센티멘털리즘sentimentalism(감상주의)이다. 위악주의자는 여하튼 자기가 상상하고 있는 것처럼 생각이 깊은 인간이 아니다. 그의 그런 상상이 또 하나의 센티멘털리즘에 속한다. 만일 그가 무해한 인간이라고 한다면, 그것은 일반적으로 감상적인 인간은 생각이 깊지는 않지만 무해하다는 것에 기인하는 것이다.

사람은 단지 인간관계에서만 위선적이 된다는 것은 잘못된 생각이다. 위선은 허영이며, 허영의 실체는 허무이다. 그리고 허무는 인간의 존재 그 자체이다. 모든 덕德이 본래 자기 것인 것처럼, 모든 악덕惡德 또한 자기 것이다. 그런 자기를 잊고 단지 다른 사람, 사회만을 상대로 생각하는 데에서 위선자가 생긴다. 그러므로 도덕에 대한 사회성이 역설되면서 얼마나 많은 위선자가 생겼을까? 혹은 오히려 도덕의 사회성이라는 이론은 현대의 특징적인 위선을 감싸기 위해 굳이 기술하고 있는 것처럼 보이기도 하는 것이다.

우리 중의 누가 위선적이지 않을까? 허영은 인간 존재의 일반적 성질이다. 위선자가 무서운 이유는 그가 위선적이기 때문이라기 보다 그가 의식적인 인간이기 때문이다. 그러나 그가 의식하고 있는 것은 자기도 허무도 아닌 단지 다른 사람, 사회라는 것이다.

허무에 뿌리내리는 인생은 허구적인 것이다. 인간의 도덕 또한 허구적인 것이다. 그러므로 위선도 존재할 수 있는 것이며, 약간의 효용조차 가질 수 있는 것이다. 그런데 허구적인 것은 그것에 머무르지 않고 그 실재성이 증명되어야 한다. 위선자와 그렇지 않은 인간의 구별은 그것을 증명할 수 있는 성의와 열정을 지니고 있는지에 있다. 인생에서 증명한다는 것은 형성하는 것이며, 형성한다고 하는 것은 내부와 외부가 하나가 되는 것이다. 그런데 위선자는 내부와 외부가 별개이다. 위선자에게는 창조라고 하는 것이 없다.

허언이 존재할 수 있는 것은 모든 표현이 진리로서 받아들여지는 성질을 가지고 있기 때문이다. 사물은 표현되면 우리와 관계가 없게 된다. 표현이라는 것은 그처럼 무서운 것이다. 사랑을 하는 인간은 말이라는 것, 표현이라는 것이 얼마나 무서운 것인지를 생각하며 전율한다. 오늘날 얼마만큼의 저작가가 표현의 무서움을 정말 이해하고 있을까?

끊임없이 다른 사람을 의식하고 있는 위선자가 야유적이지 않는 경우는 드물다. 위선이 다른 사람을 파멸시키는 것은 위선 그 차체에 의해서라기보다도 그 속에 포함되는 야유때문이다. 위선자와 그렇지 않은 자와의 구별은 야유적인지 어떤지에 있다고 할 수 있을 것이다. 남에게 아첨하는 것은 잘못된 것을 말하는 것보다도 훨씬 나쁘다. 후자는 타인을 부패시키지는 않지만, 전자는 타인을 부패시킨다. 또한, 그 마음을 속여 꾀어내 진리의 인식에 대해 무능력하게 만드는 것이다. 어쩌면 거짓말을 하는 것이 아첨하는 것보다 도덕적으로 낫다. 허언의 폐해도 주로 그 안에 혼입되어 있는 아유에 의한 것이다. 진리는 단순하고 솔직하다. 그런데 그 속은 천千의 용모를 구비하고 있다. 위선이 아첨하기 위해 취하는 모습 또한 무한하다.

다소라도 권력의 자리에 있는 자에게 가장 필요한 덕德은 아첨하는 자와 순진한 인간을 한눈에 식별하는 힘이다. 이것은 쉬운 일이 아니다. 만일 그가 이 덕을 가지고 있다면 그는 모든 덕을 다 가지고 있다고 인정해도 좋을 것이다.

'잘 숨는 자가 잘 산다.'[4] 라고 하는 말에는 생활 속의 깊은 지혜가 포함되어 있다. 숨는다고 하는 것은 위선도 위악도 아니다. 오히려 자연 그대로 사는 것이다. 자연 그대로 사는 것이 숨는다고 하는 것일수록 세상은 허영적이라고 하는 것을 똑똑히 꿰뚫어 보고 사는 것이다.

현대의 도덕적 퇴폐의 특징적인 것은 위선이 그 퇴폐의 보편적인 형식이라고 하는 점이다. 이것은 퇴폐의 새로운 형식이다. 퇴폐라고 하는 것은 통상 형태가 무너져 가는 것인데, 이 경우 표면적 형태는 정말 잘 갖추어져 있다. 그리고 그 형태는 결코 오래된 것이 아니고 완전히 새로운 것이기도 하다. 게다가 그 형태의 깊숙한 곳에는 아무런 생명도 없다. 형태가 있어도 마음은 그 형태에 지탱되고 있는 것이 아니라 허무이다. 이것이 현대의 허무주의의 성격이다.

20

오락에 관해

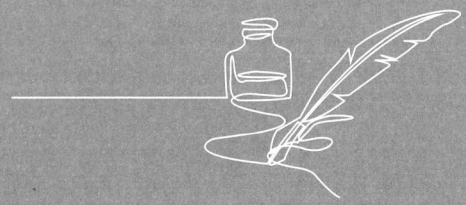

생활을 즐기는 것을 알아야 한다. '생활술生活術'이라고 하는 것은 다름아닌 기술이며, 덕德이다. 어디까지나 사물 속에 있으면서 게다가 사물에 대해 자율적이라고 하는 것이 모든 기술의 본질이다. 생활의 기술도 마찬가지다. 어디까지나 생활 속에 있으면서 게다가 생활을 초월함으로써 생활을 즐긴다고 하는 것은 가능해진다.

　오락이라는 관념은 아마 근대적인 관념일 것이다. 그것은 기계기술 시대의 산물이며, 이 시대의 모든 특징을 구비하고 있다. 오락이라는 것은 생활을 즐기는 것을 모르게 된 인간이 생각해낸 것이다. 그것은 행복에 대한 근대적인 대용품이다. 행복에 대해 생각하는 것을 모르는 근대인은 오락에 관해 생각한다.

　오락이라는 것은 간단히 정의하면 다른 방식의 생활이다. 다른 방식의 생활이란 원래 종교적인 것을 의미하고 있었다. 따라서 인간에게 오락은 축제로서만 가능했다.
　이와 같은 관념이 상실되었을 때 오락은 그냥 단지 일하고 있는 시간에 대한 놀고 있는 시간, 진지한 활동에 대한 향락적인 활동, 즉 '생활'과는 다른 어떤 것이라고 생각하게 되었다. 즐거움은 생활 그 자체 속에 없고 생활과 다른 것, 즉 오락이라고 생각했다. 생활의 하나인 오락이 생활과 어쩔 수 없이 대립하게 되었다. 생활의 분열에서 오락의 관념이 생긴 것이다. 오락을 추구하는 현대인은 많든 적든 이중생활자로서 그것을 추구하고 있다. 근대적 생활은 그와 같이 비인간적이 되었다. 생활을 고통으로만 느끼는 인간은 생활과는 다른 것으로서 오락을 추구하지만, 그 오락이라는 것도 비인간적이기는 마찬가지였다.

오락은 생활의 부가물인 것처럼 생각되는 데에서 그것은 단념해도 되는 것 오히려 단념되어야 할 것으로도 생각하게 되었다.

축제는 다른 질서 보다 높은 차원의 질서가 결부되어 있다. 그런데 생활과 오락은 같은 질서인데도 대립한다. 오히려 현대에서 질서 사상의 상실이 그것들이 대립적으로 보이는 근원이다.

다른 보다 높은 질서에서 보면 인생의 모든 영위는 진지한 일도 도락道樂도 모두 위희慰戲[1]에 지나지 않을 것이다. 파스칼은 그렇게 생각했다. 일단 이 사상에까지 돌아와서 생각하는 것은 생활과 오락이라는 대립을 불식하기 위해 필요하다. 오락에 대한 관념의 근저에도 형이상학이 없으면 안 된다.

예를 들어, 자기 전문은 오락이 아니다. 오락이라는 것은 자기 전문 이외의 것이다. 그림은 화가에게는 오락이 아니지만, 회사원에게는 오락이다. 음악은 음악가에게는 오락이 아니고 타이피스트에게는 오락이다. 이와 같이 모든 문화에 오락적인 대처 방법이라는 것이 생겼다. 거기에 현대 문화가 타락하는 하나의 원인이 있다고 할 수 있을 것이다.

현대 교양의 결함은, 교양이라는 것이 오락의 형식에서 요구되는 것에 기반을 두고 있다. 전문은 '생활'이고 교양은 전문과는 별개의 것이며, 이것은 결국 오락이라고 생각하게 된 것이다.

전문이라고 하는 견지에서 생활과 오락이 구별됨에 따라 오락을 전문으로 하는 자가 생겼다. 그에게 오락은 생활이기에 오락일 수 없다. 거기에 순수한 오락 그 자체가 만들어지고 오락은 더욱 더 생활에서 멀어지고 말았다.

오락을 전문으로 하는 자가 생기고 순수한 오락 그 자체가 만들어 졌다. 따라서, 일반 사람들에게 오락은 자기가 그것을 만드는 데에 참가하는 것이 아니라 단지 외부에서 보고, 향락하고, 즐기는 것이 되었다. 그들이 오락에 참가하는 것은 단지 그들이 관중 혹은 청중으로 가담했다는 의미이다. 참여하고 있다는 의미이다. 축제가 오락의 유일한 형식이었던 시대와 비교해서 생각하면, 대중 혹은 순수한 오락 자체가 혹은 향락이 신의 지위를 점하게 된 것이다. 오늘날 오락의 대중성이라는 것은 대체로 이와 같은 것이다.

생활과 오락은 구별되면서도 하나의 것이다. 그것들을 추상적으로 대립시키는 데에서 오락과 생활에 관해 여러 가지 잘못된 관념이 생겼다. 오락이 생활이 되고 생활이 오락이 되지 않으면 안 된다. 생활과 오락의 인격적 통일이 필요하다.

오락은 생활을 즐긴다고 하는 것이다. 따라서 행복이라는 것을 생각할 때 근본 관념이 아니면 안 된다. 오락이 예술이 되고, 생활이 예술이 되어야 한다. 생활의 기술은 생활의 예술이어야 한다.

오락은 생활 속에서 생활의 스타일을 만드는 것이다. 오락은 단지 소비적, 향수적享受的인 것이 아니라 생산적, 창조적인 것이어야 한다. 보고 즐기는 것뿐만 아니라 만들면서 즐기는 것이 중요하다.

오락은 또 다른 방식의 생활로서 우리가 평소 쓰지 않는 기관이나 능력을 작동시킴으로써 교양이 될 수 있다. 이 경우 물론 오락은 그 자체가 다른 방식의 생활이거나 생활과 구분되는 것이 아니다.

생활과 구분되는 오락이라는 추상적인 관념이 생긴 것은 근대 기술이 인간 생활에 미친 영향에 의한 것이라고 한다면, 이 기계 기술을 지배하는 기술이 필요하다. 기술을 지배하는 기술이라는 것이 근대 문화의 근본 문제이다.

오늘날 오락이 지니고 있는 유일한 의의는 말초적인 것이다. '건전한 오락'이라는 표어가 그것을 나타내고 있다. 그러므로 나는 오늘날 오락이라고 불리는 것 중에서 체조와 스포츠만은 신뢰할 수 있다. 오락은 건강이다. 다만 그것은 신체뿐만 아니라 정신도 건강해야 한다. 그리고 신체의 건강이 혈액의 운행運行을 좋게 하는 것에 있는 것처럼 정신의 건강은 관념의 운행을 좋게 하는 것에 있다. 응결된 관념이 오늘날 이렇게도 많은 것은 오락의 의의와 그 방법이 제대로 이해되지 않았다는 증거이다.

생활을 즐기는 자는 리얼리스트[2]이어야 한다. 그러나 리얼리즘[3]은 기술의 리얼리즘이어야 한다. 즉 생활 기술의 첨단에는 항상 이

매지네이션imagination(상상, 상상력)이 없으면 안 된다. 모든 사소한 일까지도 궁리와 발명이 필요하다. 게다가 잊으면 안되는 것은 발명은 단지 수단의 발명에 그치지 않고, 목적의 발명이 되어야 한다는 것이다. 최고의 발명은 소위 기술에 있어서도 새로운 기술적 수단의 발명인 동시에 새로운 기술적 목적의 발명이었다. 진정으로 생활을 즐기기 위해서는 생활 속에서 발명하는 것, 특히 새로운 생활 의욕을 발명하는 것이 중요하다.

에피큐리언[4]이라는 것은 생활 예술의 딜레탕트[5]이다. 진정으로 생활을 즐기는 자는 딜레탕트와 구별되는 창조적인 예술가이다.

21
희망에 관해

인생에서의 모든 일은 우연이자 필연이다. 이와 같은 인생을 우리는 운명이라 말한다. 만일 모든 것이 필연이라면 운명이라고 하는 것은 생각할 수 없을 것이다. 그러나 만일 모든 것이 우연이라면 운명이라고 하는 것 또한 생각할 수 없을 것이다. 우연의 것이 필연이 되고, 필연의 것이 우연의 의미를 지니고 있기에 인생은 운명인 것이다.

희망은 운명과 같은 것이다. 그것은 말하자면 운명이라고 하는 것의 부호를 반대로 한 것이다. 만일 모든 것이 필연이라면 희망이라는 것은 있을 수 없을 것이다. 그러나 모든 것이 우연이라면 희망이라는 것 또한 있을 수 없을 것이다.

인생은 운명인 것처럼 인생은 희망이다. 운명적인 존재인 인간에게 살아 있는 것은 희망을 가지고 있는 것을 의미한다.

내 희망은 F 라고 하는 여자와 결혼하는 것이다. 내 희망은 V 라고 하는 도시에 사는 것이다. 내 희망은 P 라고 하는 지위를 라는 등등의 말을 한다. 그런데 왜 사람들은 그것을 희망이라고 하는가? 그것은 욕망이라는 것은 아닌가? 목적이라고 하는 것은 아닌가? 혹은 기대라고 하는 것은 아닌가? 희망은 욕망과도 목적과도 기대와도 같은 것은 아닐 것이다. 내가 그녀를 만난 것은 운명이었다. 내가 이 지방에 온 것은 운명이었다. 내가 지금의 지위에 있는 것은 운명이었다. 개개의 사건이 내게 운명인 것은 내 존재가 전체로서 본래 운명이기 때문이다. 희망에 관해서도 마찬가지로 생각할 수 있을 것이다. 개개의 내용의 것이 희망이라고 생각되는 것은 인생이 전체로서 본래 희망이기 때문이다.

운명이기 때문에 절망적이라고 말한다. 그런데 운명이기에 또한 희망도 있을 수 있는 것이다.

희망을 가진다는 것은 결국은 실망하는 것이다. 그러므로 실망의 고통을 체험하고 싶지 않은 자는 처음부터 희망을 갖지 않는 것이 좋다고 한다. 그러나 상실되는 희망이라는 것은 희망이 아니라 오히려 기대라고 하는 것과 같은 것이다. 개별적인 내용의 희망은 상실되는 경우가 많을 것이다. 그런데도 결코 상실되지 않는 것이 본래의 희망인 것이다.

예를 들어, 실연이란 것은 사랑하지 않는 것인가? 만일 두 사람이 이제는 더 이상 사랑하지 않는다면, 두 사람은 더 이상 실연의 상태에 있는 것이 아니라 이미 다른 상태로 옮겨져 있는 것이다. 실망에 관해서도 마찬가지로 생각할 수 있을 것이다. 그리고 실제로 사랑과 희망 사이에는 밀접한 관계가 있다. 희망은 사랑에 의해 생기고 사랑은 희망에 의해 자란다.

사랑도 또한 운명이 아닌가? 운명이 필연으로서 자기 힘을 나타낼 때, 사랑도 필연에 구속받아야 한다. 이와 같은 운명에서 해방되기 위해서는 사랑은 희망과 밀접한 관계를 맺어야 한다.

희망이라는 것은 생명 형성력 이외의 어떤 것인가? 우리는 살아 있는 한 희망을 가지고 있다. 그것은 사는 것이 형성하는 것이기 때문이다. 희망은 생명의 형성력이며, 우리 존재는 희망에 의해 완성에 이른다. 생명의 형성력이 희망이라는 것은 이 형성이 무$_無$에서의 형성이라는 의미를 가지고 있기 때문이다. 운명이라는 것은 그와 같은 무가 아닌가? 희망은 거기에서 나오는 이데적인 힘이다. 희망이라는 것은 인간 존재의 형이상학적 본질을 나타내는 것이다.

희망으로 사는 자는 항상 젊다. 아니 생명 그 자체가 본질적으로 젊음을 의미하고 있다.

사랑은 내게 있는 것도 상대에게 있는 것도 아니다. 말하자면 그 사이에 있다. 사이에 있다고 하는 것은 두 사람 중 어느 쪽보다 또 그 관계보다도 근원적인 것이라는 것이다. 그것은 두 사람이 사랑할 때 말하자면 제3의 것, 즉 두 사람 사이의 사건으로 자각한다. 게다가 이 제3의 것은 전체적으로 두 사람 중 어느 쪽의 한 사람의 것이기도 하다. 희망에도 이것과 유사한 데가 있을 것이다. 희망은 나로부터 생기는 것이 아니며, 게다가 완전히 나의 내부의 것이다. 진정한 희망이 절망에서 생긴다고 말하는 것은 희망이 자기에서 생기는 것이 아닌 것을 의미하고 있다. 절망이란 것은 자기를 포기하는 것이기 때문이다.

절망할 때 자기를 버릴 수 없고, 희망이 있어도 자기를 가질 수 없다는 것은 근대의 주관적 인간에게 보이는 특징적인 상태이다.

자기가 가지고 있는 것은 인격주의의 근본 논리이다. 그러나 오히려 그 반대가 아니면 안 된다. 자기에 의한 것이 아닌 어디까지나 남에게 받는 것이기에 나는 그것을 잃어버릴 수 없는 것이다. 근대의 인격주의는 주관주의가 됨으로써 해체되지 않으면 안 되었다.

희망과 현실을 혼동해서는 안 된다고 한다. 분명 지당한 말이다. 하지만 희망은 불확실한 것인가? 희망은 항상 인생이라는 것만큼의 확실성은 지니고 있다.

만일 모든 것이 보증되어 있다면, 희망이라는 것은 없을 것이다.

그러나 인간은 항상 그만큼 확실한 것을 추구하고 있을까? 모든 사항에 대해 보증되는 것을 원하는 인간-사람은 전쟁에 대해서조차 보험회사를 설립한다.-도 도박에 열중한다. 바꿔 말하면, 그는 발명된 우연과 억지로 만들어진 운명에 고심하려고 하는 것이다. 그리고, 공포심 혹은 불안에 의해 희망을 자극하려고 하는 것이다.

희망의 확실성은 이매지네이션(상상)의 확실성과 같은 성질의 것이다. 생성하는 것의 논리는 고형체固形体의 논리와는 다르다.

인생 문제 해결의 열쇠는 확실성의 새로운 기준을 발견하는 것에 있는 것 같다.

희망이 무한정한 것처럼 느껴지는 것은, 그것이 한정하는 힘 그 자체이기 때문이다.

스피노자가 말한 바와 같이, 모든 한정은 부정否定이다. 단념하는 것을 아는 자만이 진정한 희망을 가질 수 있다. 어떤 것도 단념하지 않는 자는 진정한 희망을 가질 수 없다.

형성은 단념이라고 하는 것이 괴테가 도달한 심오한 형이상학적 지혜였다. 그것은 예술적 제작에 관해서만 일컬어지는 것은 아니다. 그것은 인생의 지혜이다.

22 여행에 관해

사람은 여러 가지 이유로 길을 떠난다. 어떤 이는 상용商用 때문에, 다른 이는 시찰을 위해, 또 다른 이는 휴양을 위해, 어떤 한 사람은 친척의 초상을 조문하기 위해, 그리고 또 다른 한 사람은 친구의 결혼을 축하하기 위해와 같은 식으로... 인생이 가지각색인 것처럼, 여행도 다종다양하다. 그러나 어떤 이유에서 여행길을 떠난다고 하더라도 모든 여행에는 여행으로서의 공통된 감정이 있다. 일박 여행을 떠나는 사람에게도, 일 년 여행을 나서는 사람에게도. 여행에는 서로 닮은 감회가 있다. 마치 여행과 같이 인생이 다양하다고 하더라도 짧은 일생의 사람에게도, 긴 일생의 사람에게도 모든 인생에는 인생으로서의 공통된 감정이 있는 것처럼.

여행을 떠나는 것은 일상 생활환경에서 이탈하는 것이며, 평소의 습관적인 관계에서 벗어나는 것이다. 여행의 기쁨은 이처럼 해방되는 것에 대한 기쁨이다. 특별히 해방을 찾아 하는 여행이 아니어도 여행은 누구나 어떤 해방된 기분이 되는 법이다. 어떤 이는 실로 인생에서 탈출 할 목적으로 여행을 떠나기도 한다. 특별히 탈출을 원해서 하는 여행이 아니어도, 여행은 누구나 어떤 탈출과 유사한 기분이 되는 것이다.

자연은 여행지로 많은 사람들이 선호하는 장소이다. 인간 생활에서도 원시적인, 자연적인 생활 환경을 찾는 것도 이것과 관련이 있다고 생각할 수 있을 것이다. 여행에서 이와 같은 해방 내지 탈출의 감정에는 항상 어떤 다른 감정이 수반되어 있다. 즉 여행은 모든 사람들에게 다소간의 표박(漂泊)[1]의 감정을 품게 하는 것이다. 해방도 표박이며, 탈출도 표박이다. 거기에 여행의 감상이 있다.

표박의 감정은 어떤 운동의 감정이고, 여행은 이동에서 생긴다고 할 것이다. 확실히 그것은 어떤 운동의 감정이다.

우리가 여행이 표박인 것을 몸으로 직접 느끼는 것은 차를 타고 움직이고 있을 때가 아니라 오히려 여관에 묵었을 때이다. 표박의 감정은 단순한 운동의 감정이 아니다. 여행을 떠나는 것은 일상의 습관적인 안정된 관계에서 벗어나는 것이며, 그 때문에 생기는 불안으로부터 표박의 감정이 솟아나는 것이다. 여행은 왠지 모르게 불안한 것이다. 그런데다가 표박의 감정은 거리의 감정 없이는 생각할 수 없을 것이다. 여행은 어떤 여행이라도 거리를 느끼게 하는 것이다. 이 거리는 몇 킬로로 계산되는 수치적 거리와 관계가 없다. 매일 먼 곳에서 기차로 통근하는 사람도 이런 종류의 거리를 느끼지 않을 것이다. 그러나 설령 평소의 통근거리보다 짧은 거리도 그가 하루라도 여행을 떠나게 되면 그는 그 거리를 체험하게 된다. 여정은 아득하고 멀리 떨어진 것이 여행을 여행으로 만드는 것이다. 그러므로 여행에서 우리는 항상 많든 적든 간에 낭만적이 된다. 낭만적 심정이라고 하는 것은 바로 거리의 감정이다.

여행의 재미의 절반은 이와 같은 상상력이 만들어내는 것이다. 여행은 인생의 유토피아라고도 말할 수 있을 것이다. 여행은 단지 멀리 떨어진 것만이 아니다. 여행은 분주한 것이다. 가방 하나로 떠나는 간단한 여행이어도 여행에는 여행의 분주함이 있다. 기차를 타는 여행도 도보로 가는 여행도 여행의 분주함이 있을 것이다. 여행은 항상 멀고 게다가 항상 분주한 것이다. 그러므로 거기에 표박의 감정이 솟아난다.

표박의 감정은 단지 거리의 감정만 있는 것이 아니다. 멀고 게다가 분주한 데에서 우리는 표박을 느끼는 것이다.

먼 것이라고 정해져 있다면, 분주할 필요가 왜 있을까? 그것은 먼 것이 아닌 가까운 것인지도 모른다. 아니, 여행은 항상 멀고 동시에 항상 가까운 것이다. 그리고 이것은 여행이 과정이라는 것을 의미한다. 여행은 과정이기에 표박이다. 출발점이 여행인 것은 아니다. 도착점이 여행이라는 것도 아니다. 여행은 끊임없는 과정이다. 그냥 목적지에 도착하는 것만 문제 삼고 도중을 맛보지 못하는 사람은 여행의 진정한 재미를 알 수 없다.

일상생활에서 우리는 항상 주로 도달점, 결과만을 문제로 삼고 있다. 이것이 행동이라든가 실천이라고 하는 것의 본성이다. 그런데 여행은 본질적으로 관상적觀想的이다.[2] 여행에서 우리는 항상 보는 사람이다. 평소의 실천적 생활에서 빠져나와 순수하게 관상적으로 될 수 있다는 것이 여행의 특색이다. 여행이 인생에 대해 가지고 있는 의의도 거기에서 생각할 수 있을 것이다.

왜 여행은 먼 것일까? 미지의 것을 향해 가는 것이기 때문이다. 일상 경험에서도 모르는 길을 처음 걸을 때에는 실제보다도 멀다고 느끼는 법이다. 가령 모든 것을 다 안다고 한다면, 일상의 통근과 같은 것은 있어도 본질적으로 여행이라고 할 만한 것은 없을 것이다. 여행은 미지의 것에 끌려가는 것이다. 그러므로 여행에는 표박의 감정이 수반된다. 여행에서는 모든 것이 기지既知라고 하는 것은 있을 수 없을 것이다. 왜냐하면, 거기에서는 단지 도달점 혹은 결과가 문제인 것이 아니라 오히려 과정이 주가 되기 때문이다. 도중에 주의하고 있는 사람은 반드시 무엇인가 새로운 것, 예기치 못한 것과 우연히 만나는 것이다. 여행은 습관이 된 생활 형식에서 빠져나오는 것이며, 이렇게 해서 우리는 다소간에 새로운 관점에서 사물을 볼 수 있게 된다. 그것으로 인해 우리는 사물에 대해 많든 적든 간에 새로운 것을 발견할 수 있게 되었다. 평소 눈에 익은 것도 여행에서는 새롭게 느껴지는 것이 상례이다. 여행의 이익은 단지 전혀 본 적이 없는 사물을 처음 보는 것에 있는 것이 아니라-아주 새롭다고 할 수 있는 것이 세상에 있을까?-오히려 평소 자명한 것, 이미 알고 있었던 것에 경이를 느끼고 새롭게 다시 보는 데에 있다.

우리의 일상생활은 행동적이어서 새로운 눈으로 혹은 결과에만 관심을 가지고 그 밖의 것, 도중의 것, 과정은 이미 알고 있다는 것을 전제한다. 매일 습관적으로 통근하고 있는 사람은 그 날 집을 나와 사무실에 올 때까지 그가 무엇을 하고, 무엇을 만났는지를 아마도 상기할 수 없을 것이다. 그러나, 여행에서는 우리는 관상적$_{觀想的}$으로 될 수 있다. 여행하는 사람은 하는 사람이 아니라 보는 사람이다. 이처럼 순수하게 관상적으로 됨으로써 평소 이미 알고 있었던 것, 자명한 것을 전제했던 것에 대해 우리는 새로운 관점에서 경이를 느끼고 혹은 호기심을 느낀다. 여행이 경험이며 교육인 것도 이것에 의한 것이다.

인생은 여행이라고 자주 이야기한다. 바쇼$_{芭蕉}$[3]의 『오쿠노호소미치$_{奥の細道}$[4]』의 유명한 구를 인용할 필요도 없이 이것은 누구에게도 여러 차례 다가오는 실감일 것이다. 인생에 관해 우리가 품는 감정

은 우리가 여행을 통해 갖는 감정과 서로 통하는 것이 있다. 그것은 왜일까?

'어디에서 어디로'라고 하는 것은 인생의 근본 문제이다. 우리는 어디에서 온 것인가? 그리고 어디로 가는 것인가? 이것이 항상 인생의 근본적인 수수께끼이다. 그런 범위에서는 인생이 여행처럼 느껴지는 것은 우리가 살아가면서 느끼는 감정으로서 변하지 않을 것이다. 도대체 인생에서 우리는 어디로 가는 것인가? 우리는 그것을 알 수 없다. 인생은 미지의 것으로의 표박이다. 우리가 마지막에 다다르는 곳은 죽음이라고 불릴 것이다. 그렇다고 치더라도 죽음이 무엇인지는 아무도 명료하게 답할 수 없는 것이다.

'어디로 가는 것인가?'하는 질문은 역으로 '어디에서 왔는가?'하고 묻게 할 것이다. 과거에 대한 배려는 미래에 대한 배려에서 생기는 것이다. 표박의 여행에는 늘 확실하게 파악하기 힘든 향수(노스탤지어)가 수반된다. 인생은 멀다 게다가 분주하다. 인생의 행로는 멀고 게다가 가깝다. 죽음은 늘상 우리 주변에 있기에, 또한 이와 같은 인생에서 인간은 꿈을 꾸는 것을 그만두지 않을 것이다.

우리는 우리의 상상에 따라 인생을 살고 있다. 사람은 누구나 많든 적든 간에 유토피언이다. 여행은 인생의 모습이다. 여행에서 우리는 일상적인 것에서 떠나 순수하게 관상적으로 됨으로써 평소에는 어떤 자명한 것, 이미 알고 있는 것처럼 전제되어 있던 인생에 대해 새로운 감정을 지니게 되는 것이다. 여행은 우리에게 인생을 체험하게 한다. 먼 것의 감정도, 가까운 곳의 감정도, 운동의 감정도, 나는 그것들이 객관적인 먼 곳이나 가까운 곳이나 운동과 관계없다는 것을 서술해왔다. 여행에서 만나는 것은 항상 자기 자신이다. 자연 속을 여행해도 우리는 끊임없이 자기 자신을 만나는 것이다.

여행은 인생 밖에 있는 것이 아니라 오히려 인생 그 자체의 모습이다.

이미 말한 바와 같이 사람은 종종 해방되는 것을 바라며 여행을 떠난다. 여행은 확실히 그를 해방시켜 줄 것이다. 그러나 그것에 의해 그가 진정으로 자유롭게 될 수 있다고 생각하면 틀린 것이다. 해방이라는 것은 어떤 사물로부터의 자유이며, 이와 같은 자유는 소극적인 자유에 지나지 않는다. 여행을 떠나면 누구나 우발적인 생각이 들기 마련이며, 일시적인 기분이 되기 십상이다. 남의 우발적인 생각을 이용하려고 하는 자에게는 그 사람을 여행에 데리고 가는 것이 가장 흔한 방법이다. 여행은 사람을 많든 적든 간에 모험적으로 만든다. 그러나 모험이라고 해도 우발적인 생각이며, 일시적인 기분일 것이다. 여행에서 표박의 감정은 그와 같은 우발적인 생각의 근저에 있다. 그러나 일시적인 기분은 진정한 자유는 아니다. 일시적인 기분이나 우발적인 생각에 따라서만 행동하는 자는 여행에서 진정한 경험을 할 수 없다.

여행은 우리의 호기심을 활발하게 한다. 그러나 호기심은 진정한 연구심, 진정한 지식욕과는 다르다. 호기심은 일시적인 기분이며 한 곳에 머물려고 하지 않고 계속해서 끊임없이 옮겨간다. 한 곳에 머물며 하나의 사물 속에 깊이 들어가지 않고 어떻게 해야 진정으로 사물을 알 수 있을까? 호기심의 근저에 있는 것도 무상한 표박의 감정이다.

여행은 인간을 감상感傷적으로 만든다. 그러나 그냥 감상에 젖어 있고자 한다면, 아무것도 깊게 인식하지 말고, 아무런 독자적인 감정을 가지지 말아야 할 것이다. 진정한 자유는 사물로 부터의 자유다. 그것은 단지 움직이는 것이 아니고 움직이면서 멈추는 것이며, 멈추면서 움직이는 것이다. 동즉정動即静, 정즉동静即動이라는 것이다.

"세상 어디에 가도 묘지가 될 숲은 있다."[7]고 한다. 이 말은 다소 감상적인 경향은 있지만, 그 의미를 잘 알고 있는 사람은 진정으로 여행을 체험할 수 있을 것이다. 진정으로 여행을 체험할 수 있는 사람은 자유스러운 사람이다. 여행함으로써 현명한 자는 더욱 더 현명해지고, 어리석은 자는 더욱 더 어리석게 된다. 평소 교제하고 있는 자가 어떤 인간인가는 함께 여행해 보면 잘 알 수 있는 법이다. 사람은 제각기 여행을 한다. 여행에서 진정으로 자유로운 사람은 인생에서 진정으로 자유로운 사람이다. 인생 그 자체가 정말 여행인 것이다.

23 개성에 관해

개성의 심오한 전당殿堂에 이르는 길은 테베 도시의 문처럼 많다.[1] 내 하나하나의 생활은 내 신앙의 살아 있는 고백이며, 내 개개의 행위는 내 종교가 이야기하지 않는 전도伝道이다. 내 안에 왕래하는 여러 가지 마음은 자기의 당내堂內의 깊숙한 곳에 모셔진 것의 직접적인 인식을 내게 불러일으키기 위해 생성하고, 발전하고, 소멸한다. 그러기에 유한한 것을 통해 무한한 것을 포착할 수 있는 자는 나의 단지 하나의 사상 감정 또는 행위를 앎으로써도 내가 진정한 신神의 신자인가? 그렇지 않으면, 라반 바사우마인가?[2]를 통찰할 수 있을 것이다. 그러나 많은 길이 있다는 것은 그 의미를 파악할 수 없는 자에게는 단지 미로가 있다는 것에 지나지 않는다.

나는 내 안에 무수의 심상心像[3]이 끝없이 왕래하는 것을 의식한다. 나라고 하는 것은 나의 뇌리 속에 생기는 표상表象[4]이나 감정이나 의욕의 totum discretum(이산적離散的인 것들)[5]인 것인가? 그것은 '관념의 다발'[6]이기도 한 것인가? 그러나 나는 모든 활동이 단지 내게서 일어나는 것을 알고 있다. 나라고 하는 것은 무수의 심상이 그 위에 나타나고 사라지면서 각종 비극과 희극을 연출하는 무대인 것인가? 그것은 모든 것이 거기로 들어가지만 아무 것도 거기에서 나오지 않는 '사자가 사는 동굴'[7]이기도 하는 것인가? 그러나 나는 나의 정신 과정의 생성과 소멸, 생산과 쇠망衰亡의 모든 것이 단지 나로 인해 일어나는 것을 알고 있다.

만일 나라고 하는 것이, 나의 모든 운동과 변화가 내가 연기하는 배경이라고 한다면, 그것은 실로 기괴奇怪하고 어쩐지 기분 나쁜 Unding(운딩:[8] 공포심을 야기하는, 기형적인 물건)이라고 하지 않으면 안 된다. 나는 그것에 어떤 지시도 할 수가 없다. 왜냐하면 내가 그것에 관해 표상하는 성질은 모두 이 배경을 기대해야 가능하고, 배경 그 자체는 아니기 때문에.

따라서 그것은 더 이상 개성個性인 것을 그만두어야 한다. 나는 이와 같은 것을 단지 어떤 것도 아니고 또한, 어떤 것으로부터도 생기지 않는 추상적 실체로서 생각할 수 있을 뿐이다. 이렇게 해서 나는 허무관虛無觀 앞에 잠시 멈춰 선다. 나에 의해 결코 체험되지 않는 이 악마적인 Unding(운딩)은 내가 체험하는 색이 있고 반향이 있는 모든 기쁨과 슬픔을 전부 핥아 버리고 전부 먹어치워 버린다. 그러나 나는 이 사물에서 다시 일곱 가지 빛깔(아름다운 색채)이 교착交錯하는 아름다운 세계로 돌아가야 할 방도를 모르는 것이다.

나는 또 '수많은 마음을 지닌 사람'이다. 나는 내 내부에 끊임없이 서로 싸우며, 서로 으르렁거리며, 서로 반대하며, 상호 모순된 많은 마음을 발견하는 것이다. 그러나 나는 이들 무수의 서로 사랑하고, 서로 돕는 그리고 실로 자주 서로 미워하며, 서로 도전하는 마음의 aggregatum per accidens[9](우연히 이루어진 집합체)는 아닐 것이다. 혹은 그들 심상心像이 단지 심리학적 법칙에 따라 결합한 것은 아닐까? 내게 있어서 '관념의 다발'에 지나지 않는다고 한다면, 심리학자가 나를 이해하려고 시도하는 설명은 정당하다. 그들은 내 안에 나타나는 정신 현상을 일정한 범주와 법칙에 따라 분류하고, 총괄하고, 그리고 내 기억이 시각형視覺型에 속하는가, 청각형聽覺型에 속하는가, 나아가 내 성격이 다혈질多血質[10]인가, 담즙질膽汁質[11]인가, 등등 을 결정한다. 그러나 추상적인 개념과 언어는 모든 것으로부터 개성을 빼앗아 똑같이 검은 덩어리를 만들고, 피터[12]와 폴[13]을 같은 것으로 하는 좋지 않은 데모크라시를 행하는 것이다. 나는 보편적인 유형이나 법칙의 표본 또는 전달기伝達器로서 존재하는 것인가? 그렇다면 나 역시도 말해야 한다. "나는 법칙을 위해서가 아니라 예외를 위해 만들어진 그런 인간중의 한 사람이다." 라고. 일곱 하늘을 잴 수 있어도, 누가 도대체 인간의 영혼의 궤도를 잴 수 있을까? 나는 내 개성이 더욱 더 많이 기술되고 정의될 수 있으면 있을수록 그 가치가 감소되어 가는 것처럼 느끼는 것이다.

사람은 나에게 개성이 무한한 존재인 것을 가르치고, 나도 또한 그렇게 믿고 있다. 지구의 중심이라고 하는 것처럼 단지 하나만 있고 두 개가 없는 것이 개성이 아니다. 1호, 2호라고 하는 것처럼 구별되는 객관적인 개별성個別性 또는 다른 것과의 비교를 통해 독자성을 지니고 있는 것이 개성인 것은 아니다. 개성이란 것은 오히려 무한한 존재이다. 내가 무한한 존재라고 하는 것은 내 마음속에 무수의 표상表象, 감정, 의욕이 끝없이 교체한다고 하는 의미일 것일까? 그러나 만일 내게 그들 정신 과정의 단지 우연적인 또는 외면적인 결합에 지나지 않는다면, 나는 단지 현상으로 존재할 수 있을 뿐 현상이상의 의미는 지닐 수가 없다. 영겁永劫의 시간 흐름의 한 점에 떠오르는 물거품에도 비길 만한 내 삶에 있어서 얼마나 많은 것이 그 속에 깃들어 있다고 하더라도 언젠가는 한 순간에 사라져 없어지는 내 운명이 아닌가? 모든 태양도 허락하지 않는 시간의 경과는 내 뇌리에 생기하는 심상心像의 무한을 여지없이 치워버릴 것이다. 그러기에 내게 진정으로 무한한 존재이어야 한다면 내 속에 시간이 생길 수 없고, 또한 시간이 줄어들 수 없는 어떤 사물이 존재하는 것이어야 한다.

그러나 나는 시간을 떠나서 개별화個別化의 원리原理를 생각할 수 있을까? 개성이라는 것은 일회적인 것, 반복되지 않는 것을 의미하지 않는 것일까? 그러나 나는 단지 시간적 순서에 의해서만 구별되는 메트로놈(박자측정기)[15]이 연달아 울리는 하나하나의 소리를 개성이라고 생각하는 것을 주저한다.

　시간은 개성의 유일성唯一性의 외면적인 징표에 지나지 않는 것으로 본질적으로 개성은 개성 그 자체로 구별되는 것이 아니면 안 된다. 개성의 유일성은 그것이 독립된 존재로서 '다른 어떤 것이 출입해야 할 창을 가지고 있지 않고', 자족적自足的인 내면적 발전을 이룩하기 위해 성립한다. 개성은 자기 활동적인 것이기 때문에 자기 구별적인 것으로 자기의 유일성唯一性을 주장할 수 있는 것이다. 내가 어떤 시간에 태어나는가 하는 것은 마치 음악의 한 곡 안에서 어떤 순간에 어떤 음이 오는가 하는 것이 우연이 아닌 것처럼 나의 개성은 우연이 아닐 것이다. 그것은 나라고 하는 개성의 내면적인 의미의 관계에 의해 결정되는 것이다. 그러나 나는 시간의 형식에 의해 음악을 이해하는 것이 아니라 오히려 음악 속에서 진정한 시간 그 자체를 체험하는 것이다. "자연을 이해하려고 하는 자는 자연처럼 침묵으로 자연을 이해하지 않으면 안 된다." 고 말하고 있는 것처럼 개성을 이해하기를 원하는 자는 시간이 웅성거리는 것을 초월하지 않으면 안 된다. 그는 능변을 붙잡아 그 목을 비틀어야 한다. 그러나 내가 시간의 흐름을 벗어나는 것은 시간의 흐름을 느낄 수 없는 아득한 먼곳에 있는 것이 아니라 내가 흐르는 시간 속에 자기를 담그고 진정으로 시간 그 자체가 되었을 때이다. 단순한 인식의 형식으로서의 시간에서 해방되어 순수하고 지속적으로 자유에 몸을 맡겼을 때이다. 바라다보는 곳에 개성을 이해하는 길은 없다. 나는 다만 활동으로써 내가 무엇인지를 이해할 수 있는 것이다.

한결같이 추이推移하며 유하流下하는 검은 막과 같은 시간의 속박과 굴레에서 도망쳐 나올 때, 나는 무한을 획득할 수 있다. 왜냐하면 자기 활동적인 것은 무한한 것이 아니면 안 되기 때문이다. 단지 무수의 부분에서 합성된 것이 무한이라는 것이 아니라 무한한 것의 부분은 전체가 한정되어 생기는 것으로 항상 전체를 표현하고 있다. 그리고 내가 모든 영혼을 내던지고 활동할 때, 나의 개개의 행위에는 내 개성의 전체가 현실적인 것으로 항상 표현되고 있는 것이다.

무한한 것은 하나의 목적 또는 기도企圖로 통일된 것으로 그 발전의 한 단계는 필연적으로 다음 단계로 모습을 바꾸어 가야 하는 계기를 그 안에 포함하고 있다. 이지理智의 기교를 떠나서 순수한 학문적 사색에 빠질 때, 감정의 방탕放蕩을 떠나 순수한 예술적 제작에 따를 때, 욕망의 타산을 멀리하고 순수한 도덕적 행위를 행할 때 나는 이와 같은 무한을 체험한다. 사유思惟할 수 없고 다만 체험할 수 있는 무한은 늘 가치가 충족된 것, 즉 영원한 것이다. 그것은 의식하든 의식하지 않든 간에 규범의식에 의해 하나의 과정에서 다음 과정으로 필연적으로 도출되는 끝없는 창조적 활동이다. 이와 같은 필연성은 원래 인과율因果律[17]의 필연성이 아니라 초시간적超時間的이며 개성적인 내면적內面的 필연성必然性이다.

그러나 나는 내가 무한을 체험하는 것, 즉 순수하게 되는 것이 극히 드문 것을 고백하지 않으면 안 된다. 나는 많은 경우 "사람은 그것을 이성理性이라고 명명하고 다만 모든 동물보다도 더 동물적으로 되기 위해 이용하고 있다."고 메피스토[18]가 비웃었던 것과 같은 이성의 사용자이다. 나의 감정은 대부분의 경우 생산적이고 창조적인 것을 그만두고 나태해지고 뻔뻔해져서 아첨과 연극같이 꾸며 남을 경탄시키려는 마음이 가득 찬 도락을 하려고 한다. 내 의지는 실로 자주 이기적인 타산이 잣는 그물 속에 말려들어가고 마는 것이다.

이와 같이 해서 나는 개성이 요람과 함께 내게 보내진 선물이 아니라 내가 싸움으로 획득하지 않으면 안 되는 이념인 것을 알았다.

그러나 나는 이 가늠할 수 없는 보물을 자기 밖에서 찾아야 하는 것이 아니라 단지 자기의 근원에 돌아와서 구하지 않으면 안 된다는 것도 알았다. 구한다고 하는 것은 있는 그대로의 자기에 집착하면서 다른 어떤 것을 그것에 덧붙이는 것은 아니다. 사람은 자기를 없앰으로써 오히려 자기를 획득한다. 그런고로 나는 위대한 종교가가 "나는 더 이상 살아 있는 것이 아니라, 그리스도께서 내 안에 살아 있는 것이다."라고 했을 때, 그가 그리스도가 된 것이 아니라 그가 진정으로 그 자신이 된 것이라는 것을 이해한다. 내 개성은 갱생에 의해서만 내 안에 태어날 수 있는 것이다.

철학자는 개성이 무한한 존재인 것을 다음과 같이 설명했다. 개성은 우주가 살아 있는 거울로 '하나이며 모든 존재'[19]이다. 마치 서로 모이는 직선이 만드는 무한의 각이 만나는 단일한 중심과 같은 것이다. 모든 개별적個別的 실체實体는 신이 전 우주에 관해 이룩한 결의를 나타내고 있는 것이고, 한 개의 개성은 전 세계의 의미를 유일한 방식으로 현실화하고 표현하는 미크로코스모스(소우주)[20]이다. 개성은 자기 자신 속에 다른 것과의 무한의 관계를 포함하면서 게다가 전체속에 점하는 유례없는 위치에 의해 개성인 것이다. 그렇다면 나는 어떻게 해서 전 우주와 무한의 관계에 설 것인가? 이 세상에 태어난 또는 태어나고 있는, 또는 태어나려고 하는 무수의 동포(형제 자매) 중에 시공과 인과에 속박된 사람은 정말 적다. 이 소수의 인간에 대해서 조차도 그들 모두와 끊임없이 교섭하는 것은 나를 인간 혐오로 만들고 말 것이다, 나는 오히려 고독을 추구한다. 사람들은 사람이 많이 모이는 북적대는 장소를 피해 어둑어둑한 방에 돌아왔을 때, 진정으로 고독해지는 것이 아니라 오히려 '사람은 별을 바라볼 때 가장 고독한" 것이다. 영원한 것의 관상觀想 속에 자기를 잃을 때, 나는 아름다운 절대 고독에 들어갈 수 있다.

그렇다면 나는 철학자가 가르친 것처럼 신의 예정조화予定調和[21] 안에서 다른 것과의 무한 관계에 들어 있는 것일까? 나는 신의 의지결정意志決定에 제약을 받아 모든 세계와 불변의 규칙적 관계에 서 있는 것일까? 그렇다면 나는 하나의 필연必然에 기계적으로 따르고 있는 것이며, 내 가치는 '내 자신에'가 아니라 나를 초월한 보편적인 것에 의존하고 있는 것이 아닌가? 나는 차라리 자유를 추구한다. 그리고 내가 정말 자유스러울 수 있는 것은 내가 이지理智의 잔꾀나 감정의 유희나 욕망의 타산을 버리고 순수하게 창조적으로 되었을 때이다. 이러한 고독이라든가 이러한 창조 속에 깊이 숨어 들어갈 때, 시인이 "Voll milden Ernsts, in thatenreicher Stille(온화한 진지함이 가득한 채, 적극적인 침묵 속에 서 있는)[22]"라고 노래한 시간 속에서 나는 우주와 무한의 관계에 서서 모든 영혼과 아름다운 조화를 서로 품고 있는 것은 아닐까? 왜냐하면 그때 나는 어떠한 무한의 것도 그 안에서는 부여되지 않는 시간적 세계를 초월하여 우주 창조의 중심에 자기의 중심을 가로 놓고 있는 것이기 때문에. 나는 자유로운 존재, 하나의 문화인으로서만 사회 속에서 활동하든 하지 않든 간에 전 우주와 무한의 관계에 들어가는 것이다. 이와 같이 해서 또 개성의 유일성은 그것이 전체의 자연 속에서 점하는 위치位置의 유일성에 존재하는 것이 아니라 본질적으로는 그것이 전체 문화 속에서 부여받은 임무의 유일성에 근거하고 있다는 것을 나는 아는 것이다.

개성을 이해하고자 하는 자는 무한의 마음을 알지 못하면 안 된다. 무한의 마음을 알려고 생각하는 자는 사랑의 마음을 알지 못하면 안 된다. 사랑이란 것은 창조이며, 창조라고 하는 것은 대상을 통해 자기를 발견하는 것이다. 사랑하는 자는 자기를 부정하는 것으로 대상을 통해 자기를 살리는 것이다. '하나이며 전체인 신은 자기 자신에게도 비밀이었다. 그러기에 신은 자기를 보기 위해 창조하지 않을 수 없었다.' 신의 창조는 신의 사랑이며, 신은 창조에 의해 자기 자신을 발견한 것이다. 사람은 사랑에 있어서 순수한 창조적 활동 속에 빠질 때, 자기를 독자적인 어떤 사물로서, 즉 자기의 개성을 발견한다. 그러나 사랑하려고 하는 자에게는 항상 사랑할 수 없는 한탄이 있고, 낳으려고 하는 자는 끊임없이 출산의 고통을 경험하지 않으면 안 된다. 그는 그가 순수한 생활에 들어가려고 하면 할수록 이기적인 궁리나 감상적인 장난이나 약아빠진 기교가 더욱 더 많은 유혹과 강요로 그를 방해하는 것을 통감하지 않으면 안 된다. 그래서 그는 '나는 죄인의 수괴이다.'[23]라고 외치지 않을 수 없는 것이다.

우리들은 악(惡)과 오류의 고통으로 피를 흘릴 때, 참회와 기도를 위해 대지(大地)에 눈물을 흘릴 때, 진정으로 자기 자신을 알 수 있다. 나태와 아집과 오만만큼 우리를 자기 본질의 이해로부터 멀리 떼어놓는 것은 없다.

자기를 아는 것은 머지않아 타인을 아는 것이다. 우리가 우리의 영혼이 스스로 도달한 높이에 따라 우리 주위에 점차 많은 개성을 발견해 간다. 자기에 대해 맹목적인 사람이 보는 세계는 그저 똑같은 회색이다. 자기 영혼을 반짝이지 않는 눈으로 응시할 수 있었던 사람 앞에는 모든 것이 빛과 색의 아름다운 교착에서 펼쳐진다. 마치 뛰어난 화가가 암스테르담의 유대거리에도 항상 회화적인 미와 고상한 위엄을 찾아내고 그 주민이 그리스인이 아닌 것을 한탄하지 않았던 것처럼 자기 개성의 이해에 투철할 수 있었던 사람은 가장 평범한 인간들 속에서도 각자의 개성을 발견할 수 있는 것이다.

이렇게 해서 나는 개성이 주어진 것이 아니라 획득되지 않으면 안 된다는 것을 아는 것이다. 나는 그냥 사랑함으로써 다른 개성을 이해한다. 나누고 고르는 이지理智를 버리고 끌어안는 정의情意에 의해 그것을 안다. 그때그때의 상황에서 받은 인상이나 일시적인 직관直觀으로가 아니라 참을성이 많은 사랑과 차분하고 고상한 통찰에 의해 그것을 '파악하는 것'이다.[24)]

"네가 마음을 다하고, 정신을 다하고, 뜻을 다하여 주인 너의 하나님을 사랑해야 한다. 이것은 크고 첫째 계명이다. 둘째도 또한 이것과 같다. 너와 같이 네 이웃을 사랑해야 한다."[25)]

24

후

기

이 서책은 그 성질상 서문을 필요로 하지 않을 것이다. 단지 간단히 그 성립에 관해 후기後記해 두면 충분하다. 이 노트는「여행에 관해」의 한 편을 제외하고 쇼와昭和 13년 6월 이후『분가쿠카이文学界』에 게재된 것이다. 물론 이것으로 끝내야 할 성질의 것이 아니지만 출판사의 희망에 따라 지금까지의 분량을 한 책으로 정리했다고 하는 것에 지나지 않다. 이번 기회에 나는『분가쿠카이文学界』이전과 그리고 현재의 편집자 시키바 슌조式場俊三, 우치다 가쓰미内田克己, 쇼노 세이이치庄野誠一 세 분에게 특히 사의를 표해야 한다. 하나의 책이 완성되는 것에 관해 편집자의 노력이 얼마나 큰지, 그것은 말하자면 저자와 편집자의 공동 제작이라고 하는 사정은 많은 독자에게는 아직 그다지 이해되고 있지 않는 것은 아닌가 생각한다. 편집자 일의 문화적 의의가 더욱 일반에게 인식되어 그것에 적합한 존경을 받는 것이 바람직한 것이다.

부록으로 올린 「개성에 관해個性について」(1920년 5월)는 대학 졸업 직전 『데츠가쿠겐큐哲学研究』에 게재한 것으로 내가 공적 기관에 발표한 최초의 것이다. 20년 전에 쓴 이 유치한 소론小論을 나의 추억을 위해, 내 멋대로 여기에 수록할 수 있는 것도 본서와 같은 성격의 책에는 허락될 것이다.

1941년 6월 2일

미키 기요시三木淸

미 주

저자 소개

1) 니시다 기타로西田幾多郞[1870-1945] : 일본 철학자. 저서에 『선善의 연구』 등. 교토京都대학 명예교수. 교토京都학파의 창시자.
2) 하인리히 욘 리케르트Heinrich John Rickert[1863-1936] : 독일 철학자로, 빈델반트로부터 영향을 받아, 하이데거에게 영향을 주었다. 단치히에서 출생하여 하이델베르크에서 사망.
3) 마르틴 하이데거Martin Heidegger[1889-1976] : 독일 철학자. 프라이부르크대학 입학 당시에는 기독교 신학을 연구했다. 프란츠 브렌타노나 현상학의 후설 등, 라이프니츠, 칸트, 그리고 헤겔 등의 독일 관념론과 키르케고르나 니체 등의 실존주의에 강한 영향을 받아, 아리스토텔레스나 헤라클레이토스 등의 고대 그리스철학의 해석 등을 통해 독자적인 존재론철학을 전개했다. 1927년의 주 저서인 『존재와 시간』으로 존재론적 해석학에 의해 전통적인 형이상학의 해체를 시도하고, 「존재에 관한 질의die Seinsfrage」를 새롭게 수립하는 일에 노력했다. 프리드리히 횔덜린이나 게오르크 트라클의 시에 관한 연구로도 알려져 있으며, 20세기 대륙철학의 조류에서 가장 중요한 철학자의 한 사람으로 알려져 있으며, 다기에 걸친 성과는, 유럽뿐만 아니라, 일본이나 라틴 아메리카 등에도 지대한 영향을 미쳤다. 1930년대 나치스에 가담한 것도 종종 논쟁을 불러일으키고 있다..
4) 카를 마르크스Karl Marx[1818-1883] : 프로이센왕국 출신의 철학자·사상가·경제학자·혁명가·사회주의 및 노동운동에 강한 영향을 미쳤다. 1845년에 프로이센 국적을 이탈하고 이후 무국적자로 지냈다. 1849년 영국에 건너가고 나서는 영국을 거점으로 활동했다.
5) 후쿠모토 가즈오福本和夫[1894 - 1983] : 일본의 경제학자. 과학기술사가·사상사가·문화사가이기도 하며, 다이쇼大正-쇼와昭和 초기의 공산주의 운동의 이론적 지도자.
6) 천황기관설天皇機關說 : 대일본제국 헌법 하에서 확립된 헌법학설로, 통치권은 법인인 국가에 있고, 천황은 그 최고 기관機關으로서, 내각을 비롯한 다른 기관으로부터의 보필을 받으면서, 통치권을 행사한다고 주장하였다.

7) 신란親鸞[1173-1262] : 일본 가마쿠라鎌倉시대의 불교가로 정토진종浄土真宗의 창시자. 신란의 가르침은 정토진종의 여러 파에 의해 계승되는데, 근대에 들어서자 신도 이외의 지식인에 의한 신란의 재평가가 이루어져 신란 붐이 일어났다. 신란과 함께 주목받은 니치렌日蓮의 경우, 그 사상이 정치적·사회적 운동에 관계한 것에 대해, 신란은 그 내면을 응시하는 자세가 근대 지식인의 공감을 얻어 신란을 제재題材로 한 구라다 하쿠조倉田百三의 『출가와 그 제자出家とその弟子』등의 문예작품도 탄생하였다. .
8) 말법사상末法思想 : 불교의 유통이 시대에 따라 변천한다고 보는 불교 교리로, 석가가 주장한 올바른 가르침이 세상에서 행해지고, 수행해서 깨닫는 사람 이 있는 시대[정법正法]가 지나면, 다음에 가르침이 행해져도 외견만이 수행자와 닮을 뿐 깨닫는 사람이 없는 시대[상법像法]가 오고, 그 다음에는 사람도 세상도 최악이 되고 정법正法이 전혀 이루어지지 않는 시대[=말법末法]가 온다고 하는 역사관을 의미한다. .
9) 다카쿠라·데루タカクラ·テル[1891 - 1986] : 본명은 다카쿠라 데루高倉輝. 다이쇼大正·쇼와昭和 시기의 정치가·소설가·언어학자·일본공산당중앙위원회고문. 1946년 나가노켄長野県에서 일본공산당 공인 후보로서 중의원衆議院 의원에 당선되었다. 국어국자개혁国語国字改革에 따라 다카쿠라 데루高倉輝(タカクラ·テル)라 명명했다..

1. 죽음에 관해

1) 페트라르카Francesco Petrarca[1304-1374] : 이탈리아 시인, 르네상스 인문주의자의 선구자.
2) 리리시즘lyricism : 서정성抒情性·서정주의敍情主義 특히 예술적 표현에 수반하는 경우를 말한다. 그리고 이것을 추구하는 서정정신·서정시lyric poetry에서 나온 말로, 서사시敍事詩나 극 등이 객관적 사실을 그 대상성·시간성에 있어서 표현하는 것에 대해, 서정시에서는 주관적 체험 또는 사색에 기초한 내적 활동이 그 상태성, 현재(영원한 현재)성에서 표현되기 때문에, 그 소재인 자연, 생사, 사랑 등의 대상도 이 감동의 상징으로 전화転化하는 경향이 있다.

미 주

3) 라파엘로Raffaello Santi/Raffaello Sanzio[1483-1520] : 이탈리아의 화가·건축가·전성기 르네상스를 대표하며, 명석하고 풍려豊麗한, 생명감 넘치는 고전양식을 확립했다.

4) 레오나르도 다 빈치Leonardo da Vinci[1452-1519] : 르네상스 전성기의 이탈리아 박학자博學者. 그의 관심 분야는 발명·회화·조각·건축·과학·음악·수학·공학·문학·해부학·지질학·천문학·식물학·필기학筆記學·역사학歷史學·지도학地圖學 등과 같이 다기에 걸쳐 있다.

5) 파스칼Blaise Pascal[1623 - 1662] : 프랑스의 철학자·자연철학자·물리학자·사상가·수학자·기독교 신학자·발명가·실업가이다.

6) 괴테Johann Wolfgang von Goethe[1749 - 1832] : 독일의 시인·극작가·소설가·자연과학자·정치가·법률가이다.

7) 낭만주의romanticism : 18세기 말기부터 19세기 전반에 유럽에서, 그 이후 유럽의 영향을 받은 여러 지역에서 일어난 정신 운동의 하나이다. 그때까지의 이성理性 편중, 합리주의 등에 대해 감수성感受性이나 주관主觀에 중점을 둔, 일련의 운동이며, 고전주의와 쌍을 이룬다. .

8) 고전주의classicism : 르네상스 시대의 고대 그리스 · 로마 고전에 대한 심취에서 비롯하였다. 이것은 당시 사람들의 이성을 존중하는 경향과 부합되어 17세기에 문학 분야, 특히 프랑스 희곡문학에서 전형적인 형태로 발전(P.코르네유, J.B.라신, 몰리에르 등), 곧 유럽 전역에 파급되었다(J.드라이든, A.포프, G.E.레싱 등). 18세기 중엽 이후가 되자 음악·회화·조각 분야에서도 이와 같은 통일성 ·이론성의 주장이 일어났으며, 하이든, 모차르트 등의 오스트리아 고전파 음악, J.L.다비드, J.A.D.앵그르 등의 프랑스 고전주의 미술시대가 출현하였다. 그러나 예술을 갖가지 미美의 법칙으로 규제하고, 거기서 벗어나는 것을 엄중히 금지하였으므로, 19세기부터는 보다 자유롭고 정서적인 낭만주의가 대두되었다. 고전주의는 후에 생겨난 많은 예술사조의 한 정점을 이룬다. .

9) 『논어論語』 「선진先進」편에 '미지생언지사未知生焉知死'를 인용하고 있다. 죽은 다음의 일을 생각하는 것보다 지금 살아 있는 동안의 일을 먼저 생각하는 것이 중요하다는 공자의 삶에 대한 문제의식을 읽을 수 있다.

10) 몽테뉴Michel Eyquem de Montaigne[1533-1592] : 16세기 르네상스의 프랑스를 대표하는 철학자. 모럴리스트·회의론자·인문주의자.

11) 인식론Epistemology : 인식, 지식이나 진리의 성질·기원·범위에 관해 고찰하는 철학의 한 부문이다. 존재론存在論 내지 형이상학과 비견되는 주요한 한 부문이고, 지식론知識論이라고도 불린다. 일본어의 「인식론認識論」은 독일어의 번역어이며, 일본에서는 사람·인간을 고려한 경우를 주로 취급한다..

12) 플라톤Platon[27-347 B.C.] : 고대 그리스 철학자. 소크라테스의 제자이자 아리스토텔레스의 스승이다.

13) 생장生長 : 1. 초목이 나서 자라는 것. 2. 사람이나 동물이 태어나서 자라는 것.

14) 전통주의伝統主義(traditionalism) : 혁신에 반대하여, 전통적으로 존재하는 가치나 방법을 고집하는 태도. 심리적 타성이나 미지에 대한 공포심의 발로인 점에서는 보수주의와 공통점이 있다. 그러나 특정의 전통을 의식적, 적극적 가치로서 주장하는 정치적 이데올로기로서의 보수주의와 구별하여 보다 심리적인 반응에 의미를 한정하는 경우도 있다. 다만 이것이 반드시 일반적으로 받아들여지는 용어법은 아니다..

15) 셸링Friedrich Wilhelm Joseph von Schelling[1775 - 1854] : 독일의 철학자.

16) 헤겔Georg Wilhelm Friedrich Hegel[1770-1831] : 독일 관념론을 대표하는 사상가.

17) 역사주의歷史主義(historicism) : (독일어:Historizismus) 가장 일반적인 용어로서 인간생활의 모든 현상을 물리적 시간 공간 개념과는 별도로 있는 역사적 흐름 속에서 그 생성과 발전을 파악해야 한다는 주장을 가리키는 용어이다..

18) 진화주의進化主義(evolutionism) : 전 세계의 미개사회의 정보를 망라하면 인류의 문화가 어떻게 진화했는지를 그릴 수 있다고 주장하는 사고방식을 말한다. 사회 진화에는 1. 속도의 차가 있다. 2. 미개사회에서 근대 서구사회로의 일원적 진화, 3. 현재의 이문화의 모습은 과거 사회의 모습이라고 하는 3개의 가정을 이론의 전제로 하고 있다..

19) 근대주의 : 현재의 사회적·문화적 구조를 과거의 종교적 권위나 도덕적 규범에 입각하면서 구축하려고 하는 전통주의伝統主義와 결연하고, 〈세계의 합리화〉라는 보편원리에 기초해서

미 주

사회나 문화 건설을 추진하려고 하는 정신적 태도를 말한다. 따라서 전통주의와 대치된 근대주의에 있어서는 질서보다도 진보가, 종교보다도 과학이, 개별주의個別主義보다도 보편주의普遍主義가, 속성원리屬性原理보다도 업적주의業績主義가 존중되고 고취된다.

20) 페트라르카Petrarca, Francesco[1304-1374] : 이탈리아의 시인·학자·인문주의자 이다. 라틴어 문법을 정비하고, 시인으로서는 일련의 서정시집인 『칸초니에레』를 지었다.

21) 니체Friedrich Wilhelm Nietzsche[1844-1900] : 독일·프로이센 왕국 출신의 철학자이며 고전 문헌학자이다.

22) 앙드레 지드André Paul Guillaume Gide[1869-1951] : 프랑스의 소설가이자 비평가이다. 19세에 사촌누이에 대한 사랑과 청년기의 불안에 관한 자전적 작품 『앙드레 왈테르의 수기』로 등단했다. 이후 아프리카 여행에서 돌아와 『팔뤼드』, 『지상의 양식』, 『배덕자』 등을 발표하였다. 종교적 계율이 가져온 위선을 적나라하게 묘사한 『좁은 문』으로 노벨문학상을 받았다..

2. 행복에 관해

1) 엄숙주의嚴肅主義 : 감정·욕망을 억제하고, 이성의 의무 명령에 따라 금욕적 생활을 실천하는 것을 도덕의 기본으로 삼는 입장. 칸트철학, 스토아학파의 윤리설이 대표적이다. 엄격주의嚴格主義. 리거리즘rigorism..

2) 아우구스티누스(라틴어:Aurelius Augustinus) [354-430] : 로마시대의 기독교의 신학자·철학자·설교자. 라틴 교부의 한 사람.

3) 윤리학倫理學(ethics) : '좋다 / 나쁘다'나 '해야 한다 / 해서는 안 된다'를 나누는 선을 긋는 것의 기준이나 룰인 '도덕'에 관해, 탐구하는 학문이다. 고대 그리스 시대부터 존재하는 학문인데, 20세기 이후의 과학기술 발전에 수반되어, 새로운 전개를 보이고 있다.

4) 동기론動機論 : 행위의 도덕적 평가의 기준을 오직 그 동기에 두는 윤리학설. 목적 관념目的觀念을 중시하고, 수단·결과는 묻지 않는 주관적 동기론과 목적 관념과 함께 그 실현의 수단이나

관념도 포함한 지향을 평가의 대상으로 삼는 지향설志向說이 있다. ⇔결과설結果說..

5) 관념주의觀念主義·관념론觀念論 : (독일어:Deutscher Idealismus) 독일의 관념론으로, 18세기 말부터 19세기 중엽에, 라이프니치나 흄의 계열에 속하는 칸트『순수이성비판』에 대한 반동으로, 주로 프로이센 등 독일어권 루터파 지역에서 전개된 철학사상이며, 낭만주의와 계몽시대의 정치 혁명과 밀접하게 관련을 맺고 있다.

6) 행복론幸福論Eudaemonics : 행복 나아가서는 인생 그 자체에 관한 고찰·논구의 내용을 의미한다. 오늘날 '삼대 행복론'이라고 하면, 힐티의 『행복론』(1891), 알랭의 『행복론』(1925), 러셀의 『행복론』(1930)에 의한 3개의 행복론을 가리킨다..

7) 허무주의虛無主義(Nihilism) : (독일어:Nihilismus) 실재라든가 진리라든가, 이미 있는 모든 제도·권위 등을 부정되는 경향과 그 주장. 니힐리즘.

8) 인간학人間学(anthropology) : (독일어:Anthropologie) 일반적으로 '인간은 무엇인가' '인간의 본질은 무엇인가'라고 하는 물음에 대해 철학적 사고와 실증적인 조사를 통해 답하려고 하는 학문이다. 통상 철학의 한 부문으로 취급되어, 철학적 인간학哲學的人間学의 명칭으로 불리는 경우도 있다. 그 밖에, 민족학, 문화인류학, 생물학적 인간학 등의 제 과학에도 그 학문 분야에서의 인간학을 말하는 사람들도 적지 않다..

9) 주지주의主知主義(intellectualism) : 인식론에서 진리는 이성에 의해 합리적으로 파악된다고 하는 입장. 형이상학에서 세계의 근본원리를 지적·이성적인 것으로 삼는 입장.

10) 반주지주의反主知主義 : 의지나 감정을 우위에 두고, 지성을 이차적인 것으로 삼는 주장. 19세기 말에 이르러, 니체나 베르그송 철학에 나타나서, 파레토나 줄리아 소렐에게 계승되어, 이윽고 파시즘 운동으로 흘러들어갔다..

11) 구상력構想力(imagination) : 상상력이라고도 번역된다. 심리학적으로는, 선행체험先行體驗을 기반으로 하여, 현실에서 감각하고 있지 않는 새로운 이미지를 떠올리는 능력을 의미한다. 구상력은 감각과 동일한 차원의 개념이었지만, 칸트에 이르러 철학적 개념으로 자리매김하게 되었다. 칸트는 구상력에 독립된 장을 부여하여, 감성과 오성悟性 이라고 하는 별개의 작용을 하는 두 개의 능력을 종합적으로 기능시키는 선험적 능력이라 정의했다.

미 주

3. 회의에 관해

1) 오네톰(프랑스어:honnête homme) : 지식과 교양이 풍부하고 예절 바른 교양인. 고전주의의 전성기인 17세기 프랑스에서 이상적인 인간상을 표현하던 말.
2) 회의론懷疑論(skepticism) : 철학에서 인간의 인식력認識力을 불확실한 것으로 하고, 객관적·보편적 진리의 인식의 가능성을 의심하고, 모든 판단을 보류하는 태도. 회의주의.
3) 소피스트sophist : 지자知者의 뜻. 기원 전 5세기경의 고대 그리스에서, 아테네를 중심으로 변론술이나 정치·법률 등을 전수하던 직업적 교육가들.
4) 소크라테스(그리스어:Σωκράτης, Socrates)[기원전 470 경 - 기원전 399] : 고대 그리스의 철학자이다. 일생을 철학의 제 문제에 관한 문답법으로 상대방에게 자신의 무지를 자각하게 하고 진정한 인식에 도달시키고자 한, 서양 철학의 첫번째 인물로 평가되고 있다. 그는 국가가 신봉하는 신(멜레토스, 아니토스, 리콘 등)을 부정한 '신성 모독죄'와 '젊은 세대들을 타락시킨 죄'로 고발당해 기원전 399년에 71세의 나이로 사약을 마시고 사형을 당했다.
5) 헤겔Georg Wilhelm Friedrich Hegel[1770-1831] : 독일의 철학자. 칸트·셸링 등을 비판하여 독자적인 방법론·변증법을 확립하였다.
6) 직관直觀(Intuition) : 지식의 소유자가 숙지하고 있는 지知의 영역에서 지닌, 추론, 유추 등 논리 조작을 개입시키지 않는 직접적 또한 즉시적인 인식의 형식.
7) 패배주의敗北主義(defeatism) : 실패나 패배가 불가피하다는 것을 전제에서 행동하고, 승리나 성공을 위한 노력을 방기하는 것. 일반적으로 모멸표현이라고 되어 있지만, 현실적으로는 반드시 나쁜 것은 아니다. 패배를 피할 수 없는 상황, 패배주의적인 행동이 최적의 답이 되는 상황은 틀림없이 존재한다. 실패하는 목적을 방기하고 새로운 목적을 고안할 때까지의 과도기에는 패배주의는 유익하다. 그리고 또한 패배를 피하기 위해 경쟁을 회피하는 것은 인간사회에 있어서의 불가피한 전제이다. .
8) 르네 데카르트René Descartes[1596-1650] : 프랑스의 철학자·수학자. 근세 철학의 시조가 된다. 그는 합리론의 대표주자이며 본인의 대표 저서 『방법서설』에서 '나는 생각한다, 고로 존재

한다. Cogito ergo sum'는 계몽사상의 '자율적이고 합리적인 주체'의 근본 원리를 처음으로 확립한 것으로 유명하다.

9) 방법서설(方法序說, 또는 方法叙説이라고도 함) : 1637년에 공간된 프랑스 철학자 르네 데카르트의 저서. 간행 당시의 정식 명칭은 『이성을 바르게 이끌고, 학문에 있어서 진리를 탐구하기 위한 이야기(방법서설). 덧붙여, 그 시도인 굴절광학, 기상학, 기하학』이며, 원래는 3개의 과학논문집을 수록한 500쪽을 넘는 대작이었다. 오늘날의 『방법서설方法序説』로서 취급되는 텍스트는 그 서적 중의 최초의 78쪽의 「서문」 부분으로 자기의 방법론의 발견·확립이나 간행에 이르기까지의 경위를 논하고 있다. .
10) 딜레탕티즘dilettantism :예술이나 학문을 취미나 도락으로 애호하는 것.
11) 데카당스(프랑스어:décadence) : 허무적, 퇴폐적인 풍조나 생활태도.
12) 오토마티즘Automatism : 자동기술, 자동현상으로 번역. 원래는 생리학·심리학의 용어로 의식의 개재 없이 동작을 행하는 현상을 나타낸다. 1920년대 유럽의 초현실주의자들은 이 현상을 표현에 응용, 이성에 의한 통제를 제거하고 의식 하의 이미지를 기술하는 것을 지향했다. .
13) 결과론結果論 : 원인이나 동기(과정)를 생각하지 않고, 다만 결과에만 기초하여 논하는 것

4. 습관에 관해

1) 변증법弁証法(dialectic) : (희랍어:$διαλεκτική$) 철학용어이며, 이성적 주장을 통해 진리를 확립하고자 하는 주제에 대해 서로 다른 견해를 가진 두 명 이상의 사람들 사이의 담론談論이다. 비슷한말은 대화법, 문답법이다. 칸트나 헤겔에 이르기 까지의 철학자들은 변증법을 '경험이나 의식에 관한 학'이라는 의미에서 사용했다. 모순을 통해 진리를 찾는 철학방법으로 그 경험분석을 어떤 방향으로 전개시켰는가에 따라 그들 각자가 말하는 변증법의 구체적 내용도 달라진다. W.뢰트『변증법의 현대적 전개-칸트로부터 헤겔까지』임재진 옮김 중원문화, 1985.

미 주

2) 빌둥(독일어:Bildung) : 영어의 culture도 이 독일어를 번역한 것이며 culture가 경작, 양육의 의미를 가지고 있는 것과는 달리 Bildung은 형성, 교화, 과정을 뜻한다.

3) 질료質料와 형상形相은 아리스토텔레스 철학의 중심 개념이다. 질료란 무언가로 만들어질 수 있는 가능태dynamis를 의미하며 형상이란 질료를 통해 만들어진 현실태energeia이다. 예를 들어 집의 기능이나 구조상의 형식이 형상이고, 그 소재가 되는 목재는 질료이다. 씨앗이 질료라면 나무는 형상이다. 나무가 질료라면 통나무집은 형상이다. 이렇듯 가능태로서의 질료는 여러 현실태가 될 수 있다. 온 세상의 만물들은 모두 이렇게 질료와 형상의 복잡하고 다양한 결합을 통해 존재하게 된다.

4) 생의 철학(독일어:Lebensphilosophie)이란 19세기 후반부터 20세기에 걸쳐 유럽에서 전개된 일련의 경향을 보이는 철학에 관한 총칭으로, 합리주의에 반기를 들고 어디까지나 싱싱하게 살아 있는 생 자체만을 파악하려는 것이 바로 이 '생의 철학'이라고 할 수 있다. 어떤 의미에서는 모든 철학을 그저 한마디로 '생의 철학'이라 부를 수도 있다. 따라서 '생의 철학'이란 매우 다의적인 의미를 지닌 철학이라 할 수 있다. 그러나 여기서는 다만 협의적인 의미로서의 '생의 철학', 즉 19세기 이후 현대철학의 한 사조로서의 '생의 철학'에 관해 언급하고 있다.

5) 흄David Hume[1711-1776] : 영국의 철학자·역사가. 존 로크·조지 버클리와 함께 영국 고전경험론을 대표한다. 정신적 실체나 인과관계의 객관성을 부정하고, 회의론의 입장을 취했다.

6) 경험론經驗論(empiricism) : 철학에서 감각의 경험을 통해 얻은 증거들로부터 비롯된 지식을 강조하는 이론이다. 합리주의가 인식 원천을 오직 이성에서만 추구하는 것과 대립한다. 경험론은 관념의 형성 과정에서 관습보다는 경험과 증거, 특히 감각에 의한 지각을 강조한다.

7) 기계론機械論(mechanism) : 철학에서 모든 사상의 생성변화를 자연적 필연적인 인과관계에 의해 설명하고, 목적이나 의지의 개입을 인정하지 않는 입장을 취한다. 세계의 근저에 있는 것은 힘이라고 생각하는 역본설力本說(Dynamism)과 반대로 모든 현상은 원인·결과의 역학적 인과관계로 해명할 수 있다고 생각하는 사상을 말한다.

8) 선험론先驗論 : 철학에서 칸트 및 칸트학파의 선험철학. 그리고 감각적 경험에 정신 작용이 내재하는 것을 주장하거나, 절대자가 유한 속에 내재하는 것을 주장하는 관념론철학.

5. 허영에 관해

1) 실재성実在性 : 관념과 달리, 객관적으로 존재한다고 하는 성질. 주관과는 독립된, 객관적인 존재 방식. 자연과학에서 과학적 수속을 통해 귀납된 것. 현실성. .
2) 허영심虛栄心(Vanity) : 일반적으로 자기 자신의 능력이나 다른 사람에게 주는 매력을 과도하게 믿고 있는 것. 실질을 수반하지 않는 외견만의 장식. 허식.
3) 죠세프 주베르Joseph Joubert[1754-1824] : 프랑스의 작가 겸 비평가. 모럴리스트
4) 항다반사恒茶飯事 : 일상다반사日常茶飯事 (매일 생기는 흔한 일. 일상 있는 보통 일)
5) 플라톤Platon[기원 전 427-기원 전 347] 고대 그리스의 철학자. 소크라테스의 제자로, 아리스토텔레스의 스승에 해당한다. 아테네 교외에 학원(아카데미아)을 창설하고, 저서에는 "소크라테스의 변명", "국가" 등의 저작으로 알려져 있다.
6) 딜레탕티즘dilettantism : 전문가 이외의 사람이 도락이나 취미에서 학문·예술 등의 정신적 활동, 특히 예술 창작에 힘쓰는 것. 이탈리아어 'dilettare(즐기다)'를 어원으로 하고, 그것에 관계하는 사람을 '딜레탕트dilettante'라고 부른다.

6. 명예심에 관해

1) 스토익stoic : 1. 극기적. 금욕적인 상태. 2. 스토아학파의 철학자. 3. 스토아학파 풍의 극기금욕주의·엄숙주의를 신봉하는 사람.
2) 스토이시즘stoicism : 1. 스토아학파의 학설. 스토아주의. 2. 스토아풍의 극기금욕주의·엄숙주의.
3) 아노님anonym : 익명匿名. 익명인. 무명無名. 또는 익명의 저작물.
4) 게마인샤프트(공동 사회) [독일어:Gemeinschaft] ⇔ 게젤샤프트(이익 사회) [독일어:Gesellschaft] : 독일의 사회학자, 페르디난트 퇴니에스[1855-1936]가 설정한 사회 유형의

미 주

하나이다. 게마인샤프트는 인간이 지연·혈연·정신적 연대 등에 의해 자연 발생적으로 형성한 집단. 가족이나 촌락 등을 의미하며, 게젤샤프트는 인간이 어떤 특정의 목적이나 이해를 달성하기 위해 작위적으로 형성한 집단. 도시나 국가, 회사나 조합 등을 말한다.

7. 분노에 관해

1) propter quae venit ira Dei super filios incredulitatis : 이것들 때문에 하느님의 진노가 순종하지 않는 자들에게 내립니다. (골로새서 3:6) Et vidi aliud signum in caelo magnum et mirabile: angelos septem habentes plagas septem novissimas, quoniam in illis consummata est ira Dei. 나는 또 크고 놀라운 다른 표징이 하늘에 나타난 것을 보았습니다. 일곱 천사가 마지막 일곱 재앙을 가지고 있었는데, 그것으로 하느님의 분노가 끝나게 될 것입니다. (요한묵시록 15:1) .
2) 데모니시(독일어:dämonisch) :귀신이 쓰인 것 같은 모양. 초자연적인 힘이 느껴지는 모양. 초월적. 악마적.
3) 무성격無性格 : 성격이 확실하지 않는 것. 개성이 거의 느껴지지 않는 것. 또는 그 모양.
4) 아가페(그리스어:agapē) : 고대 그리스에서 지금까지 여러 가지 뜻으로 쓰여왔으나, 보통 거룩하고 무조건적인 사랑을 뜻한다. 기독교의 신학 개념에서 아가페는 하나님의 인간에 대한 '사랑'을 나타낸다. 하나님은 인간에게 무한의 사랑을 하고 있으며, 하나님이 인간을 사랑함으로써, 하나님은 무엇인가의 이익을 얻는 것은 아니기 때문에, '무한의 사랑'으로 되어 있다. .
5) 플라톤적 에로스 : '에로스[eros]'는 이상으로 추구하는 사랑으로, 플라톤 철학에 있어서의 하나의 중심 과제이다. 아가페와 에로스의 대립은 그리스도적 사랑과 그리스적 사랑의 대립이다.
6) 생리학生理學(Physiology) : 인체를 구성하는 각 요소(조직, 기관, 세포)가 어떤 활동을 행하고 있는지를 해명하는 학문.
7) 히브리스Hubris, Hybris(그리스어: ὕβρις) : 고대 그리스 윤리사상의 근저를 이루는 개념으로, 종종 오만傲慢으로 번역된다. 교만. 방자함.

8. 인간의 조건에 관해

1) 심상心像 : 과거의 경험이나 기억 등에서, 구체적으로 마음속에 떠올린 것. 시각심상·청각심상·후각심상嗅覺心像등, 모든 감각에 대응한 심상이 있다.
2) 아프리오리(라틴어:a priori) : 철학용어로 전통적인 형이상학에서는 모든 인간에게 생득적, 따라서 본성적인 것을 의미한다. 칸트 및 칸트 이후에는 모든 경험에 시간적으로 앞섰다고 하기보다도 논리적으로 앞선 것을 의미하며 보통은 선천적, 선험적으로 번역한다. ⇔ 아포스테리오리(라틴어:a posteriori).
3) 관계개념關係概念(concept of relation) : 모든 현상의 변화에서 불변 법칙적 관계를 바탕으로 하여 제반 현상을 설명하려는 근대적인 관계적 사유의 입장. 함수개념은 그 전형적인 것이며 실체개념에 대응하는 말이다.
4) 기능개념機能槪念 : 일정한 사상事象이 생기는 이유를 나타내기 위한 이론적 개념..
5) 아모르프amorphe(무정형無定形) : 일정한 형태가 없는 것. 형태가 정해지지 않는 것. 무정형의amorphous, 어모퍼스(무정형), 비정질非晶質(non-crystalline) : 결정과 같은 장거리 질서長距離秩序는 없지만, 단거리 질서短距離秩序는 있는 물질의 상태. 이것은 열역학적으로는, 평형하지 않은 준안정상태準安定狀態이다..
6) 카오스(그리스어:khaos) : 혼돈, 혼란. ⇔ 코스모스(그리스어:kosmos) : 그리스 신화에서 질서정연한 조화가 있는 세계. 우주. 질서.)

9. 고독에 관해

1) 파스칼의 유고집 『팡세pensée』에서 나오는 말. pensée 는 프랑스의 동사 penser(생각하다)의 과거분사 pensé에서 파생된 명사로, '생각된 것', '생각', '사고', '사상'의 뜻을 나타낸다.

미 주

2) 결핍(스테레시스steresis) : 아리스토텔레스의 저서 자연학自然學에서, 운동변화를 구성하고, 이것을 가능하게 만드는 궁극의 요소로서, 형상形相(eidos), 결핍(결여, steresis), 질료質料(hylee)의 3요소가 추출된다.
3) 키에르케고르Søren Aabye Kierkegaard[1813-1855] : 덴마크의 사상가. 헤겔철학의 영향을 받지만, 그 사변적 합리주의에 반대하여, 주관주의 입장을 취했다. 그리고 인간 실존의 진리는 "이것이냐, 저것이냐"의 선택, 융합하기 어려운 대립에 있다고 주장하여, 실존철학의 선구자로 되어 있다.

10. 질투에 관해

1) 베이컨Francis Bacon[1561-1626] : 영국의 철학자·신학자·법학자·정치가·귀족이다. 스콜라주의를 타파하고, 경험과 실험을 중시하는 귀납법을 주장했고, 경험론의 선구자가 되었다.

11. 성공에 관해

1) 중용中庸(그리스어:Mesotês) : 아리스토텔레스Aristotelês가 『니코마코스 윤리학』에서 규정한 양극단을 제외하고 중간을 선택한 윤리적 탁월성(아레테 ; 덕德)을 말한다. 중용은 도덕이론에 있어 과過 또는 부족不足이 없는 행위의 준칙. 중국의 자사子思와, 그리스의 플라톤Platon과 아리스토텔레스Aristoteles에 의해 주장되었다. 자사는 그의 저서 《중용》을 통하여 인간행위의 이상적 기준으로 중용의 원리를 체계화하여 중국과 한국에 널리 영향을 미쳤다..
2) 에피고넨툼(추수자풍追隨者風) : (독일어:Epigonentum) 아류(인 것), 모방·계승(시대), 퇴폐(기).
3) 합리주의合理主義(rationalism) : 일반적으로 이성을 중시하고, 사상·생활에 합리성을 관철하려고 하는 태도

4) 배금주의拜金主義(money worship) : 금전을 무상의 것으로 숭배하는 것. 배금주의자를 야유하는 말로서, "수전노"라든가 "금전 등에 대한 집념에 사로잡힌 사람"이 있는데, "배금주의자拜金主義者" 자체에 비판적인 뉘앙스가 있다.

12. 명상에 관해

1) 천여天與 : 하늘이 준 것. 하늘의 선물. 천부.
2) 미스티시즘mysticism(신비주의) : 신이나 절대적인 것과 자기가 체험적으로 접촉·융합하는 것에 최고의 가치를 인정하고, 그 경지를 지향해서, 행위나 사상 체계를 전개시키는 철학·종교상의 입장. 신비성. 신비주의.
3) 미스틱mystic : 신비적인 모양. 신비주의적.
4) 포티다이어Potidaea : 그리스 동북부, 칼키디케 반도에 있던 고대 도시. 기원전 432년 이 도시 국가가 아테네에 대해 반란을 일으킨 것이 펠로폰네소스 전쟁의 한 원인이 되었다고 한다.
5) '명상벽瞑想癖'에 관해 다음과 같은 예가 있다. '철학자라고 칭하는 자가 빠지기 쉬운 명상벽瞑想癖에서 그를 구하고, 그 명상을 사색으로 바꾸고, 사색 속에 명상적인 것을 살리게 할 수 있는 것은 근면이다.' 三木 清「西田先生のことども」『婦人公論』1941年, 8月号.
6) 성벽性癖 : 인간의 심리·행동 상에 출현하는 버릇이나 치우침, 기호, 성격을 말한다.
7) 파우제(독일어:Pause) : 휴식. 휴식 시간. 휴지 부분.
8) 택트tact(박자) : 1. 택트. 2. 박자. 3. 지휘봉.
9) 원죄原罪(Original sin) : 기독교 신학에 있어서의 교설教說의 하나. 이것에 의하면 인류의 원조인 아담이 신으로부터 부여된 자유를 남용하여 신에 대해 죄를 범한 결과, 그 자손인 인류 전체도 죄를 짊어지게 되었다. 이상은 [[네이버 지식백과] 철학사전원죄]에서 인용. 파스칼이 『팡세』에서 "원죄가 있다고 하는 것도, 원죄가 없다고 하는 것도" 불가해하다고 할 때, 이성에게 불가해해도, 인간의 현실에 서서 원죄를 지지하고 있다.

미 주

13. 소문에 관해

1) 대질対質 : 양자가 마주 대하고, 어느 쪽이 바른가를 확실히 정하는 것. 또 곤란한 일이나 문제 해결 등에 정면에서 확실히 맞서는 것.
2) 관념화観念化 : 어떤 대상에 관한 인식·생각이 일반화되고 추상화되는 것.
3) 진탕震盪 : 액체·기체·고체 또는 그 혼합물을 화학 반응의 촉진·용해의 촉진, 냉각, 혼합, 분산 등의 목적으로 수동 또는 기계적으로 혼합하는 것.
4) 폴 발레리Paul Valery[1871-1945] : 프랑스의 시인·소설가·평론가. 다기에 걸친 왕성한 저작 활동에 의해 프랑스 제3공화국을 대표하는 지성이라고 불린다.

14. 이기주의에 관해

1) 유덕有徳 : 1. 덕행이 뛰어난 것. 또는 그 상태. 2. 부유하고 번성하는 것. 그 상태. 부유.
2) 실증주의実証主義(Positivism) : 협의로는 실증주의를 처음 표방한 오귀스트 콩트 자신의 철학을 가리키며, 광의로는 경험적 사실에 기초하여 이론이나 가설, 명제를 검증하고, 초월적인 것의 존재를 부정하려고 하는 입장이다.
3) 확률론確率論(theory of probability) : 우연현상에 대해 수학적인 모형을 부여하고, 해석하는 수학의 한 분야. 원래는 주사위 도박이라고 한 도박 연구로서 시작되었다.
4) 개연적蓋然的 : 그 사항이 실제로 일어나거나, 혹은 참일 경우도 있고 그렇지 않은 경우도 있다고 하는 성질을 지닌 상태.
5) 임마누엘 칸트Immanuel Kant[1724-1804] : 프로이센왕국(독일)의 철학자이며, 쾨니히스베르크대학의 철학교수. 『순수이성비판』, 『실천이성비판』, 『판단력비판』의 세 비판서를 발표하고, 비판철학을 제창하여, 인식론에 있어서의, 소위 "코페르니쿠스적 전환"을 주장했다.

6) 신의 존재증명Existence of God : 신앙을 이성에 의해 근거를 부여하기 위한 노력으로, 기독교 신학, 철학 주제의 하나. 완전한 존재로서의 신의 개념에서 그 존재를 추론하는 본체론적本體論的, 존재론적存在論的 증명, 자연의 운동으로부터 그 원인으로서의 신의 존재를 추론하는 우주론적 증명, 자연의 합목적성合目的性, 미에서 추론하는 목적론적 증명, 도덕적 요청에서 추론하는 도덕적 증명 등이 있다..

7) 사회계약설theory of social contract : 17-18세기, 영국·프랑스에서 전개된 정치학설로, 자연법사상에 근거하여, 사회·국가는 인민의 계약에 의해 성립한다고 주장한다. 절대왕정의 왕권신수설王權神授説에 대항하여, 영국에서는 명예혁명의 이론적 근거가 되고, 프랑스에서는 프랑스혁명으로 발전했다.

15. 건강에 관해

1) 양생훈養生訓;ようじょうくん : 양생법. 일본 에도 중기의 교훈서. 8권. 가이바라 에키켄貝原益軒(1630-1714) 저. 1713년 성립. 일본과 중국의 사적과 체험에 근거하여, 심신의 건강과 장수를 유지하는 양생법을 통속적으로 기록한 것. 이 중에는「인생을 즐기는 방식」이 쓰여 있다. 그 즐기는 방식에는 1. 사람으로서 바른 길을 걷고, 선을 즐기는 것 2. 아프지 않고 기분 좋게 즐기는 것. 3. 오래 살아서 인생을 오래 즐기는 것. 의 세 가지를 들고 있다..

2) 병감病感[←병기감病気感] : 실제로는 이상이 없는데 몸 전체가 불편하거나 불쾌한 느낌.

3) 공리公理(axiom) : 그 다른 명제를 도출하기 위한 전제로서 도입되는 가장 기본적인 가정을 가리킨다. 공리를 전제로 연역 수속에 의해 도출되는 명제는 정리定理라고 불린다. 많은 문맥에서 "공리公理"와 같은 개념으로 가정이나 정제라고 하는 말도 병렬해서 사용된다..

4) "의사의 불섭생 ← 医者いしゃの不養生ふようじょう" : 남에게 섭생摂生[양생養生]을 권하는 의사 자신은 오히려 섭생을 하지 않는다는 뜻.

미 주

5) 니체의 건강진단Nietzschean Health Center : 너의 덕德이란, 너의 영혼의 건강이다. 왜냐하면, "건강 그 자체라고 하는 것은 없기 때문이다."자네의 육체에게조차 건강이란, 무엇을 의미해야 하는 것인가를 결정하는 데에는, 자네의 목표, 자네의 시계視界 자네의 역량, 자네의 충동, 자네의 착오, 특히 자네의 영혼의 사상이나 환상이 결정적인 수단이 되는 것이다. [ニーチェ『悦ばしき知識』120番, 信太正三訳. ちくま学芸文庫(pp. 213-214), 1993년]..

6) 칼 야스퍼스Karl Theodor Jaspers[1883-1969] : 독일 철학자, 정신과 의사이며, 실존주의철학의 대표적 논자의 한 사람이다. 현대사상, 현대신학, 정신의학에 강한 영향을 주었다. 『정신병리학총론』, 『철학』 등의 저서가 유명하다.

7) 존재판단存在判斷 : (독일어:Existentialurteil의 번역어) 'S는 P이다' 라고 하는 판단이 아니라, 'S는 존재한다. (또는 존재하지 않는다.)' 라고 하는 형태의 판단. 판단 속의 사물이 존재하는지, 하지 않는지를 보고, 판단을 해석한 것. .

8) 가치판단価値判斷(value-judgemen) : 사실판단에 대한 규범적 판단의 일종으로, 인간의 행위·성격·광의의 대상에, 적극적·소극적 평가를 부여하는 평가판단을 말한다. 전형적인 가치판단의 형식은 '이 책은 좋다(나쁘다)'와 같이, 평가의 대상을 주어로 삼고, 그것에, 이 대상을 평가하는 가치의 술어를 덧붙이는 것이다. 한편, 가치판단에는, 대상의 종류나 관련에 따라, 경제적·미적·윤리적 등의 구별이 이루어지고, 특히 행위에 대한 평가에는, 행위 자체나 행위의 동기, 목적 등에 대한 개별적 평가에 따라, 더욱 구별과 상호 관련이 문제가 된다.

9) 목적론目的論(teleology) : (독일어:Teleologie) 목적론이라는 말은, 18세기 독일의 철학자 볼프[Christian Wolff]의 조어인데, 인식대상을 목적·수단의 형태로 파악한다고 하는 사고방식은 이미 고대 그리스에 있어서 성립하고 있었다. [佐藤(2006) : 824] 인간의 의식적인 행동뿐만 아니라, 자연, 역사의 여러 사상도 또한 목적에 의해 규정되고 있다고 하는 가정, 및 이 가정에 기초하는 견해를 말한다. 목적관目的觀라고도 한다. 그 가장 원초적인 형식은 일체가 인간의 효용과 위안을 지향해서 만들어지고 있다고 하는 '인간 중심적'인 사고방식이다.

16. 질서에 관해

1) 남비濫費 : 시간이나 재물 등을 헛되이 헤프게 쓰는 것. 낭비浪費.
2) 프리드리히 실러Friedrich Schiller[1759-1805] : 독일의 시인, 역사학자, 극작가, 사상가. 괴테와 견주는 독일 고전주의의 대표자이다. 독자적인 철학과 미학에 근거한 이상주의, 영웅주의, 그리고 자유를 추구하는 불굴의 정신이, 그의 작품의 근저에 흐르는 주제이다. .
3) 비론比論 : 비교해서 논단하는 것. 다른 것과 비교해서 논하는 것. 유사점을 들어 연구하는 것
4) 호메로스Homeros : 고대 그리스의 서사시 『일리아스Ilias』『오디세이Odyssey』의 작자라고 불리는 서사시인으로 기원전 8세기경의 사람으로 추정된다. 그 생몰년이나 생애 등에 관해서는 거의 알려져 있지 않다.
5) 에우마이오스Eumaeos : 그리스 신화에서 에우마이오스는 오디세우스의 궁에서 돼지를 치는 충직한 하인이었다. 원래는 왕족 출신이었으나, 어떤 사정으로 오디세우스의 아버지 라에르테스에게 노예로 팔려간다. 라에르테스가 왕위에서 물러난 뒤에는 오디세우스의 돼지치기가 되었다.
6) 오디세우스Odysseus : 호메로스의 서사시 『오디세이』의 주인공이며, 트로이 전쟁에서 대활약을 펼치며 트로이를 함락시킨 영웅이다.
7) 가치체계value system : 어떤 사회에 있어서, 그 사회의 구성원인 개개인이 지닌 가치의식의 총체가, 어떤 일정한 틀, 즉 그 사회의 문화 하에서 체계화되어 있는 상태. 따라서 어떤 사회의 멤버는 그 사회에 특유한 가치체계가 나타내는 규범에 따라 사고하고 행동한다. 정치학적으로는, 어떤 사회의 정치적인 가치체계는 그 사회의 정치문화를 형성하고 있다고 파악할 수가 있다. 어떤 사회의 가치체계도, 그 사회의 상황이나 외적 환경의 변화에 따라 변용한다. 따라서 사회의 가치체계의 변용에 수반되어, 그 사회의 멤버가 공유하는 규범이나 행동도 변화한다.
8) 포적抛擲[방척放擲] : 던져 버리는 것. 내버려두는 것.
9) 아나키anarchy : 무정부·무질서한 상태인 것. 또는 그 상태.

미 주

10) 데모크라시democracy : 민주정체. 민주주의. 민주적인 원리, 사상, 실천. 또는 일상생활에서의 인간관계에 있어서의 자유나 평등.

11) 인텔리겐치아[(러시아어)Интеллигенция ← (라틴어)intelligentia] : 지식·학문·교양을 지닌 사람들을 하나의 계급, 계층으로 파악한 말. 지식계급. 지식계층.

12) 원문에는 [强力]으로 나와 있다. : 1. 강력함. 2. 폭력. 마르크스는 1872년, 국제노동자협회에서의 "헤이그 대회에 관한 연설"에서 국가와 상황에 따라서는 평화혁명平和革命의 가능성이 있지만, 대다수의 국가들에서는 강력强力[폭력暴力]이 필요하다고 주장했다.

13) 주관주의主観主義 : ①객관적 여러 조건을 무시하고, 자기의 주관적 판단에 따라 행동하는 입장. ⇔객관주의客観主義.〔普通術語辞彙(1905)〕②철학에서 진리나 가치의 기준을 주관 속에 있다고 하는 입장. 인간의 판단은, 단지 각자가 대상에 어떤 식으로 관계를 맺고, 어떻게 생각하는가 하는 것에만 의존하고 있으며, 엄밀하게 보편타당하게 객관적인 판단은 없다고 되어 있다. 소피스트의 상대론相対論, 조지 버클리의 관념론 등. ⇔객관주의客観主義.〔近代語新辞典(1923)〕③사회사상이 주관적·자의적으로 형성된다고 하고, 주관적 요소를 과대시하는 관념론적 사회학. 마르크스주의에서 말한다..

14) 무의 철학無の哲学이 과제로 삼는, 환경의 자기 한정과 개체의 자기 한정의 변증법적 통일이 바로 그것이다. 환경에 의해 결정되는 인간만이 대상이 아니라, 환경을 변혁하는 사람 유물변증법이 지적하는 이 물질적 계기를 무시하고 있지는 않다. 주체적으로 파악하는 그 통일의 논리를 말한다. 소위 무의 철학 본래의 과제는, 이와 같은 유물적 전제 위에 추구되어야 할 것이 아니면 안 된다. [梅本克巳·武井邦夫(1995)『唯物史観と道』p.115-227

15) 절대주의絶対主義 : 철학에서는, 절대적 존재나 절대적인 가치·기준의 존재를 인정하는 생각. 정치적으로는, 절대적인 권력을 휘두르는 체제. 독재정치나, 파시즘 등이 있고, 입헌주의와는 대립개념에 해당된다. 협의에서는, 절대왕정, 절대군주제를 가리킨다.

17. 감상에 관해

1) 제작적制作的 : 아리스토텔레스 『니코마코스 윤리학』에 '제작적 행위로서의 기예'라는 내용이 있다. 그리고 "만듦의 영역에 속하는 것도 있고 행위의 영역에 속하는 것도 있다. 만듦과 행위는 다른 것이다." 라고 서술하고 있다.
2) 순문학純文学 : 순수문학. 1. 대중문학大衆文学에 대해, 순수한 예술성을 목적으로 하는 문학. 2. 광의의 문학에 대해, 시가詩歌·소설·희극 등 미적 감각에 중점을 두는 문학. 주로 일본 메이지시대明治時代에 사용된 말
3) 무위無爲 : 1. 아무 것도 하지 않고 빈둥빈둥하고 있는 것. 2. 자연 상태에 맡겨, 손을 가하지 않는 것. 작위적이지 않는 것. 또는 그 상태. 3. [(산스크리트어)asaṃskṛta의 역어] 불교어. 인위적으로 만들어진 것이 아닌 것. 인과 관계를 떠나, 생멸변화生滅變化하지 않는, 영원 절대의 진실.
4) 유전流転 : 시간과 함께 변화해서 멈추지 않는 것. 끊임없는 변천.

18. 가설에 관해

1) 구상력構想力(imagination) : (독일어:Einbildungskraft) 상상력이라고도 번역한다. 심리학적으로는 선행 체험을 근거로 하여, 현실에 감각하지 않는 이미지를 떠올리는 능력을 의미한다..
2) 부정不定 : 일정하지 않는 것. 정해지지 않는 것.
3) 종용従容 · 縱容 : 성격이나 태도가 차분하고 침착한 것. 누긋하게 차분한 모습. 위급한 경우에도 당황해서 소동을 피우거나 초조해하지 않는 모습.
4) 절충주의折衷主義(eclecticism) : 서로 다른 철학·사상체계 중에서 진리, 또는 장점이라고 생각되는 것을 추출하여, 절충·조화시켜서 새로운 체계를 만들어내려고 하는 주의·입장이다. 따라서 그것은 체계간의 혼합을 의미하는 싱크리티즘syncretism(혼합주의)과 구별된다.

미 주

19. 위선에 관해

1) 라 브뤼예르Jean de La Bruyère[1645-1696] : 프랑스의 모럴리스트이며 작가이다. 17세기 프랑스의 궁정 사람들을 그리고, 인생을 깊게 통찰한 저서 『성격론Caractères』이 있다.
2) 위악僞惡 : 스스로 실제 이상으로 악인인 것처럼 겉으로만 그럴싸하게 보이게 하고 행동하는 것 또는 그런 태도.
3) 위악가僞惡家 : 내실과는 반대로 악인을 가장하여 행동하는 자. 위악주의자
4) 데카르트의 좌우명 : "잘 숨은 사람은, 잘 산 사람"이라는 말은, 오비디우스Publius Ovidius Nasō라는 고대 로마 시인에 의한 것인데 원문은 bene vixit, bene qui latuit 이다. 이것을 데카르트가 좌우명으로 삼았다고 한다.

20. 오락에 관해

1) 위희慰戱(divertissemennt-디베르티스망) : 사람들을 즐기기 위한 오락을 가리킨다. 즐거움. 기분전환, 소창消暢. 놀이. 숨을 돌리는 것. 레저 등이 유의어이다. .
2) 리얼리스트realist : 1. 현실에 입각해서 사물을 생각하고, 또 처리하는 사람. 현실주의자. 실재론자. 2. 예술상, 사실주의 입장을 취하는 사람.
3) 리얼리즘realism : (미술·문학) 사실주의. (정치학) 현실주의. 이상주의에 대한 말. (철학) 고대 철학에서는 개별을 초월한 이데아가 실재한다고 주장하는 플라톤의 이데아론. 중세 이후 철학에서는 통상 실재한다고 하는 실존론實在論.
4) 에피큐리언epicurean : 쾌락주의자. 향락주의자. 협의로는, 고대 그리스 철학자 에피쿠로스의 철학설을 신봉하고 계승하는 사람을 말한다. 즉, 그 원자론적 자연관과 쾌락주의적 윤리관을 계승하는 사람이며, 근대에서는 피에르 가상디, 홉스. 콩디야크가 그 대표자이다. 광의로는, 쾌

락주의, 향락주의적 삶을 신조로 삼는 사람을 말하고, 조야한 육체적 쾌락을 추구하는 자인 경우도 세련된 정신적 쾌락을 추구하는 자인 경우도 있다.

5) 딜레탕트dilettante : 예술이나 학문을 취미로서 애호하는 사람. 호사가.

21. 희망에 관해

1) 이데[(독일어)Idee, (프랑스어)idée] : 이데. 관념. 이념. 「이데아」의 독일어 역. 감각될 수 있는 개물個物(개체)의 원형·전형으로서의 형상, 주관적인 표상 내지 관념의 두 가지 의미 이외에, 칸트 이후 독일의 철학 이념으로 자리 잡았다. 20세기 초기, 구와키 겐요쿠桒木嚴翼[1874-1946]는 이성관념理性觀念, 즉 "이데"를 〈이념理念〉으로 번역했다.

2) 인격주의人格主義(personalism) : 일반적으로, 인격을 최고의 가치로 인정하는 철학의 사고방식. 예를 들어, 도덕적 행위의 자립적 주체로서의 인격을 목적 그 자체로 간주하는 칸트의 입장에서, 이것은 아베 지로阿部次郎 등에게 영향을 주었다.

3) 스피노자Baruch de Spinoza[1632-1677] : 네덜란드의 유대계 철학자. 처음에는 유대교를 배웠지만 얼마 후 비판적인 견해를 품어, 교단에서 파문당하고 학문 연구에 전념한다. 유일한 실체인 신은, 즉 자연이라고 하는 범신론汎神論을 주장하고, 정신계精神界와 물질계物質界의 사상은 모두 신의 두 가지 속성의 양태라고 주장했다. 그리고 사물을 신과의 필연적 관계에서 직관하는 것에 수반되는, 자족감을 도덕의 최고의 이상으로 삼았다. 저서에는 『에티카』 『지성개선론』 등이 있다.

미 주

22. 여행에 관해

1) 표박漂泊 : 방랑. 유랑. 떠도는 것.
2) 관상觀想[(그리스어)theōriā, (라틴어)contemplatio] : 광의로는 실천적 태도에 대한, 인식·명상·묵상 등의 정관적靜觀的 태도를 말하며, 아리스토텔레스는 『니코마코스 윤리학』에서, 인간의 지복至福은 이 인간에 고유한 지성적 태도에 근거한 생활에 있다고 설명한다. 협의로는 신플라톤학파나 그노시스파 등의 신비적 사상·종교에 있어서 생성 소멸하는 모든 사상의 배후에 잠재하는 초감각적·초월적 존재를 직관하는 것, 혹은 신적 존재와 합일하는 것을 말한다. .
3) 마쓰오 바쇼松尾芭蕉[1644-1694] : 일본 에도 시대江戸時代 전기의 하이쿠俳句 작가. 이가노 쿠니伊賀国 출신. 아명은 긴사쿠金作. 이름은 추에몬忠右衛門, 후일 무네후사宗房. 배호俳号는 처음에는 무네후사宗房라고 칭하고, 그 다음에 도세이桃青, 바쇼芭蕉라고 바꾸었다. 교토京都에서 기타무라 기긴北村季吟에게 사사. 일본 전국 각지를 여행하여 많은 명구와 기행문을 남긴 바쇼는 1694년 여행하던 오사카大坂에서 병사.
4) 오쿠노호소미치奥の細道 : 일본 에도 시대 중기의 하이카이俳諧 기행. 1책. 마쓰오 바쇼松尾芭蕉 저. 1702년 간행. 1689년 2년 3일, 문인 소라曽良와 에도江戸 후카가와深川를 출발하여, 오슈奥州·호쿠리쿠北陸의 명소·유적지를 돌며, 9월에 오가키大垣에 이르기까지의 기행을, 하이쿠俳句·렌가連句를 섞어 기록한 것.
5) 향수(노스탤지어nostalgia) : 타향에 있으면서 고향을 그리는 기분. 또는 지나간 시절을 그리워하는 기분. 향수.
6) 유토피언utopian : 이상주의자. 몽상가. 유토피아를 꿈꾸는 사람. 공상적인 사회 개량주의자.
7) 「人間(じんかん)到(いた)る処(ところ)青山(せいざん)有(あ)り」 : 일본 에도시대江戸時代말기의 중, 겟쇼月性의 한시漢詩『将(まさ)に東遊(とうゆう)せんとして壁(かべ)に題(だい)す』에서 유래하는 표현. 〈조상 대대의 묘에 묻어 달라고 와 같은 것은 생각해서는 안 된다. 세상 어디에 가도 묘지가 될 숲은 있다.〉. 〈뼈를 묻을 장소는 어디에도 있다. 대망大望을 실현하기 위해서는, 고향에 구애되지 말고, 넓은 세상에 나가 활동해야 한다.〉 라는 뜻.

23. 개성에 관해

1) 테바이·테베 : 고대 그리스어는 Θῆβαι(테바이)이다. 현대 그리스에서는 [Θήβα]라고 쓰는데 시간이 지나면서 고대 그리스 당시의 발음과 크게 차이가 나게 되었다. 때문에 현대 그리스어에서는 [θίva](≒시바)로 읽는다. 영어로는 [θiːbz](≒십즈)이다. 한국어로는 '테베'라고 주로 적고 일본어도 テーベ라는 표기가 나타나는데, αι를 'ㅔ'로 읽었던 코이네 그리스어의 영향을 받은 표기이다. 테베는 고대 그리스, 보이오티아 지방의 도시. 기원 전 371년 스파르타가 쇠퇴한 후, 전 그리스의 패권을 잡았지만, 기원 전 335년, 알렉산드리아대왕에게 멸망당했다. 그리고 그리스신화에서는 "7개 문의 테베"로서 유명하고, 오이디푸스 설화 등의 무대가 되고 있다.

2) 라반 바사우마バール의 僧侶[(시리아어)ܪܒܢ ܒܪ ܨܘܡܐ, Rabban Bar Sauma, 1220-1294] : 13세기의 위구르 또는 온구트 출신의 네스토리우스파 그리스도(경교景教)의 승려. 몽골인 국가 일한국의 외교 사절로 유럽에 파견되었다. 한문 사료에서는 "拉賓掃務瑪"라고 표기된다.

3) 심상心像 : 과거의 경험이나 기억 등에서, 구체적으로 마음속에 떠올린 것. 시각심상청각심상후각심상嗅覺心像 등, 모든 감각에 대응한 심상이 있다. 표상表象. 심상心像. 이미지.

4) 표상表象 : a.상징. 심볼. 또는, 상징적으로 나타내는 것, b. 철학·심리학에서, 직관적으로 마음에 떠오르는 외적 대상상外の対象像을 말한다. 지각적, 구상적이며, 추상적인 사상을 나타내는 개념이나 이념과는 다르다.

5) 이산적離散的인 것들(=흩어진 것들)의 전체. 하나의 전체를 이루지만 원래 하나는 아닌 것. 다양하면서도 어떤 종류의 통일성을 지닌 것들의 집합체 같은 것. 그래서 해당 부분은 "내 마음 속에, 생각 속에 떠오르는 이런저런 것들(이런 표상, 저런 감정, 이러저러한 의욕 등등)의 총합"이라고 해석하였다. 인하대학교 철학과 고인석교수 교시에 따름.

6) 관념의 다발 : 데이비드 흄Hume, David은 조지 버클리George Berkeley와 마찬가지로, 실체라는 것은 동시적인 '관념의 다발'bandle or collection of ideas이라고 생각했다. 그리고 그는 자아自我라고 불리는 실체도 '관념의 다발'에 지나지 않는다고 생각했다. 게다가 흄은, 아무리 고도高度이며 복잡한 관념도, 그것은 구성요소로서의 개개의 관념으로 분해되는 것이라고 생각

미 주

했다. 그리고 그들 관념은 반드시 그것에 대응하는 인상을 배후에 가지고 있다. 따라서 아무리 추상적인 관념도, 그 자체에 있어서는 개체적個体的인 요소를 속에 포함하고 있다. 예를 들어, 우리가 인간이라고 하는 관념을 가지고 있는 경우, 우리는 개별 인간을 떠난 일반자一般者로서의 인간을 표상表象하는 것이 아니라, 자기가 지금까지 보아온 많은 구체적인 인간을 다발로 해서 표상하고 있는 것에 지나지 않는다. 개체성個体性 혹은 개별성個別性을 초월한 보편자普遍者로서의 추상개념은, 흄에게는 존재하지 않는 것이다.

7) 헤라클레스에게 부과된 12고행 중의 하나. 그리스 신화에 나오는 괴물 사자[네메아의 사자Nemean lion]를 퇴치를 명받은 헤라클레스는 사자가 사는 동굴에 들어갔다.

8) Unding(독일어:운딩) : 1. 중성형 명사 불합리한 일. 난센스 2. 중성형 명사 공포심을 야기시키는, 기형적인 물건. 3. 중성형 명사 혼돈.

9) aggregatum per accidens는 (여기서 per는 영어로 through나 by에 해당하는 것으로) 우연이 만든 집합체를 의미한다. 여기서 저자는 자기 마음이 이런저런 생각들(다양한 감정들, 표상들, 의욕들 등등)이 그저 우연히 얽혀 만들어진 집합체라고는 생각하지 않고, 이러한 다양한 것들을 엮어 '나의 마음을 만드는 어떤 것'이라고 추정할 수 있다. 인하대학교 철학과 고인석 교수의 교시에 따름..

10) 다혈질多血質(sanguine) : 그리스 의학자 히포크라테스가 4체액설体液說과 관련지어 분류한 4기질 중의 하나로 쾌활하고, 행동적이지만, 감정 기복이 거세고, 변화하기 쉬운 기질.

11) 담즙질胆汁質(choleric) : 그리스 의학자 히포크라테스가 4체액설体液說과 관련지어 분류한 4기질 중의 하나로 감정적이고 화를 잘 내고, 민첩하게 행동하지만, 영속성이 없는 기질.

12) 피터Peter : 신약성서의 사도 시몬 베드로Saint Simon Peter에서 유래한다. 기원 전 1년경에 태어나 예수의 사후 각지에 교회를 세우고, 로마에서 선교를 하다가 기원 67년에 순교했다.

13) 폴Paul : 바울Paulos[기원 전 10년경-65년경] 1세기의 기독교의 사도·성인聖人. 소아시아의 다소 출생의 로마 시민권을 지닌 유대인. 유대교도로서 기독교를 박해했지만, 후일 생애의 반을 기독교 전도에 바쳤다. 신약성서에 수록된 서한에는 예수의 속죄의 죽음과 부활을 중심으로 한 신학을 전개하고 있다.

14) 개별화個別化의 원리原理(principium individuationis; principle of individuation) : 개체個体를 개체로서 다른 것에서 구별하는 형이상학적 원리를 말한다. 이미 아리스토텔레스에서, 개체의 질료적質料的인 측면이 그 개별성個別性을 이루는 것이며, 형상形相은 보편적 본성으로서, 많은 개체 간에 공통된 것이라고 했다. 이러한 개체화個体化의 원리는 중세 스콜라철학에 있어서도 주요한 문제가 되었다. 그것이 기독교 교리에 있어서 창조의 대상으로서의 개체個体 및 구제의 대상으로서의 개인個人의 관계, 그리고 삼위일체 교리와 이 개별성의 관계가 추구되었기 때문이다. 특히 토마스 아퀴나스는 질료質料가 개체화의 원리이며, 따라서 천사와 같은 순수하게 비물질적인 존재는 단지 그 형상에 의해서만 개체화되는 것이라고 하고, 이렇게 해서 유명한, 동일同一종種의 2종류의 천사는 존재하지 않는다는 이론을 전개했다.

15) 메트로놈Metronom : 박자 측정기, 박절기拍節器.

16) 기도企圖 : 목적을 세우고 그 실현의 수단을 계획하는 것. 도모, 기획, 계획.

17) 인과율因果律(causality) : 어떤 사상事象 A(원인)에 이어서 다른 사상 B(결과)가 필연적·규칙적으로 생길 때, A와 B에는 인과관계가 있다고 하고, 이것을 원리로서 세울 때 이 법칙을〈인과율〉이라든가〈인과〉라고 한다. 흄은 인과율을〈항상적 연접〉이라고 하고, 칸트는 경험을 가능하게 하는 주관의 선천적 형식(카테고리)의 하나라고 생각했다. 이것에 대해 유물론자는, 인과율은 주관과 독립해서 객관적으로 성립하고 있다고 생각한다. 뉴턴의 운동법칙과 제임스 맥스웰의 전자기학, 즉 고전물리학에서는 인과율을 전제로 결정론이 성립하는데, 양자역학에서는 성립하지 않는다.

18) 메피스토Mephisto : 독일의 파우스트 전설 및 괴테의「파우스트」에 등장하는 악마. 파우스트에게 영혼을 파는 계약을 맺게 하고, 그 대상으로 지상의 쾌락을 얻게 하기 위해 봉사한다.

19) 크세노파네스Xenophanes of Colophon[기원 전 565년경-기원 전 470년경] : 고대 그리스의 철학자·시인. 의인화된 신관神觀에 반대하고, 신은 하나이며 전체인 것이라고 주장했다. 파르메니데스 및 엘레아학파에게 영향을 주었다.

20) 미크로코스모스Mikrokosmos : 소우주. 일반적으로 우주를 대우주大宇宙[(라틴어) macrocosmus, (영어)macrocosm / macrocosmos]로 하고, 그것에 대해 인간의 신체를 소우

미 주

주소우주로 비기고, 대우주와의 대응을 구하는 것을, 대우주大宇宙·소우주小宇宙 대응의 원리라고 한다.

21) 예정조화予定調和[(프랑스어)harmonie préétablie] : 라이프니츠 철학설의 근본원리. 상호 독립적으로 각자의 내적 법칙에 따라 자기 발전하는 각 모나드[(프랑스어)monade](단자単子)가 상호 대응하고, 세계의 질서가 유지되는 것은, 신이 각 모나드 간에 미리 정해 둔 조화에 의한다고 하는 설. 이 주장에 의해 〈통속철학〉과 〈기회요인機会原因〉 의 길이 배척되고, 기계론機械論과 목적론目的論의 대립의 극복을 지향했다

22) 프리드리히 실러(요한 크리스토프 프리드리히 폰 실러)[Johann Christoph Friedrich von Schiller, 1759-1805]의 「예술가들Die Künstler」라는 제목의 시의 한 소절.

> Die Künstler
>
> Wie schön, o Mensch, mit deinem Palmenzweige
> Stehst du an des Jahrhunderts Neige
> In edler stolzer Männlichkeit,
> Mit aufgeschloßnem Sinn, mit Geistesfülle,
> Voll milden Ernsts, in thatenreicher Stille,
> Der reifste Sohn der Zeit,
> Frei durch Vernunft, stark durch Gesetze,
> Durch Sanftmuth groß und reich durch Schätze,
> Die lange Zeit dein Busen dir verschwieg,
> Herr der Natur, die deine Fesseln liebet,
> Die deine Kraft in tausend Kämpfen übet
> Und prangend unter dir aus der Verwildrung stieg!

> 맙소사, 얼마나 아름다운가?
> 그대의 야자나무가지 풍성한 곳에 세기 말에 서있는 이여,
> 고귀하고 긍지 높은 남자다움에,

열린 마음으로, 충만한 정신으로,
온화한 진지함이 가득한 채, 적극적인 침묵 속에 서 있는,
그 시대의 가장 성숙한 아들이여,
이성으로 자유로워지고, 법으로 강해지는 이여,
부드러운 용기로 커지며, 보물로 풍성해지는 이여,
오랜 시간 그대의 가슴은 침묵하였고,
그대의 속박을 사랑하는 자연의 주인이여,
천 번의 전투에서 발휘했던 그대의 그 힘은
자랑스럽게 그대의 황폐한 내부에서 솟구쳐 나온다!

인하대 문화경영학과 김상원 교수의 교시에 따라, 'Voll milden Ernsts'는 진지함이 부드러움으로 가득한다는 의미로, 'intatenreicher Stille'는 수없이 많은 일이 일어나지만 고요한 상태로 해석하였다.

23) 「나는 죄인의 수괴이다 ; われは罪人の首なり」: 이것은 성서 구절에서 인용한 것으로 이해되는데, 관련 부분을 들면 다음과 같다.

-『キリスト・イエス罪人を救はん為に世に来り給へり』とは、信ずべく正しく受くべき言なり、其の罪人の中にて我は首なり。[文語訳1917 / 第一テモテ 1:15] ('그리스도 예수 죄인을 구하기 위해 세상에 오셨다.' 라고 하는 것은 믿어야 하고, 올바르게 받아들여야 할 말이다. 그 죄인 중에서 나는 수괴이다.)

-「キリスト・イエスは、罪人を救うためにこの世にきて下さった」という言葉は、確実で、そのまま受けいれるに足るものである。わたしは、その罪人のかしらなのである。
[口語訳/ テモテへの第一の手紙 1:15] ("그리스도 예수께서 죄인을 구원하기 위해 이 세상에 오셨다" 고 하는 말은 확실하고 그대로 받아들일 만한 것이다. 나는 그 죄인의 수괴이기 때문이다.) [디모데전서 1:15]

24) 「파악하는 것이다.把握するのである。」는 초간본初刊本 「인생론 노트人生論ノート」 소겐샤創元社, 쇼와昭和 16년 8월 11일 발행에서는 "파악하는 것이다. 그러나 사랑한다고 하는 것은 얼마나 곤란할까?"로 기술되어 있다.

미 주

25) 이 부분은 성서 구절에서 인용한 것으로 판단되는데, 문어역과 구어역을 대조하여 보면 다음과 같다.

- イエス 言ひ給ふ「なんぢ心を尽し、精神を尽し、思を尽して主なる汝の神を愛すべし」[文語訳1917/マタイによる福音書 22:37] (예수께서 말씀하신다 '네가 마음을 다하고, 정신을 다하고, 뜻을 다하여 주인 너의 하나님을 사랑해야 한다.)

- これは大にして第一の誡命なり。[文語訳1917/マタイによる福音書 22:38] (이것은 크고 첫째 계명이다.)

- 第二もまた之にひとし「おのれの如くなんぢの隣を愛すべし」[文語訳1917 / マタイによる福音書 22:39] (둘째도 또한 이것과 같다. "너와 같이 네 이웃을 사랑해야 한다.")

- イエスは言(い)われた、『心をつくし、精神をつくし、思いをつくして、主なるあなたの神を愛せよ』。[口語訳 / マタイによる福音書 22:37] (예수께서 말씀하셨다. "'마음을 다하고, 정신을 다하고, 뜻을 다하여, 주인 너의 하나님을 사랑하라.') [마태복음 22:37]

- これがいちばん大切な、第一のいましめである。[口語訳/マタイによる福音書 22:38] (이것이 가장 중요한, 첫째 계명이다.) [마태복음 22:38]

- 第二もこれと同 である、『自分を愛(あい)するようにあなたの隣り人を愛せよ』。[口語訳/マタイによる福音書 22:39] (둘째도 이것과 마찬가지이다, '자신을 사랑하는 것처럼 네 이웃을 사랑하라.') [마태복음 22:39]

참고 문헌 및 사이트

철학사전편찬위원회 『철학사전』 중원문화, 2013

한국문학평론가협회 『인문학 용어 대사전』 국학자료원, 2018

르네 데카르트, 이현복 옮김 『방법서설』 문예출판사, 2022

桑木厳翼 『カントと現代の哲学』 岩波書店, 1917

桑木厳翼 『哲学及哲学史研究』 岩波書店. 1936

広松渉 『近代の超克論-昭和思想史への一視角-』 講談社, 1989

梅本克己 『唯物史観と道徳』 こぶし文庫, 1995

梅本克己 『唯物史觀と現代』 岩波書店. 2018

佐藤邦政 『唯一性という概念についての分析』 研究紀要(83) 1-12, 2012

思潮小文庫 - https://sityokobunko.wixsite.com/zenki-sityo

青空文庫 - https://www.aozora.gr.jp/

『世界大百科事典』 第2版, 平凡社 - https://kotobank.jp/dictionary/sekaidaihyakka/

航空軍事用語辞典++ - http://mmsdf.sakura.ne.jp/public/glossary/pukiwiki.php

안내

저본

「인생론 노트人生論ノート」신쵸분코新潮文庫, 신쵸사新潮社

1954년 9월 30일 발행

2011년 10월 5일 105쇄 개판

2012년 9월 5일 106쇄

2017년 5월 5일 111쇄

초출

하기 이외 잡지 『문학계文学界』 분게슌슈사文藝春秋社
　　　　　　　　　　　　　1938년 6월~1941년 10월

「개성에 관해個性について」, 『철학연구哲学研究』 제52호 제5권 제7책

교토제츠가쿠각카이京都哲学会, 호분칸寶文館 1920년 7월 1일

「후기後記」 『인생론 노트人生論ノート』 쇼겐샤創元社, 1941년 8월 11일

「여행에 관해旅について」 불상

❖ 「개성에 관해個性について」의 초출 시의 표제表題 「개성의 이해個性の理解」

역자 약력

이성규(李成圭)

(현) 인하대학교 교수

(현) 한국일본학회 고문

(전) KBS 일본어 강좌 「やさしい日本語」 진행

(전) 한국일본학회 회장

한국외국어대학교 일본어과 졸업

일본 쓰쿠바(筑波)대학 대학원 문예・언어연구과(일본어학) 수학

언어학박사(言語学博士)

전공 : 일본어학(일본어문법・일본어경어・일본어교육)

저서

『도쿄일본어 1, 2, 3, 4, 5』 시사일본어사, (1993~1997)

『現代日本語研究 1, 2』 不二文化社, (1995) 〈共著〉

『仁荷日本語 1, 2』 不二文化社, (1996) 〈共著〉

『홍익나가누마 일본어 1, 2, 3』 홍익미디어, (1996) 〈共著〉

『홍익일본어독해 1, 2』 홍익미디어, (1997) 〈共著〉

『도쿄겐바일본어 1, 2』 不二文化社, (1998~2000)

『現代日本語敬語の研究』 不二文化社, (1999) 〈共著〉

『日本語表現文法研究 1』 不二文化, (2000)

『클릭 일본어 속으로』 가산출판사, (2000) 〈共著〉

역자 약력

『実用日本語 1』가산출판사, (2000) 〈共著〉

『日本語 受動文 研究의 展開 1』不二文化, (2001)

『도쿄실용일본어』不二文化, (2001) 〈共著〉

『도쿄 비즈니스 일본어 1』不二文化, (2003)

『日本語受動文の研究』不二文化, (2003)

『日本語 語彙論 구축을 위하여』不二文化, (2003)

『일본어 어휘Ⅰ』不二文化, (2003)

『日本語受動文 用例研究 1, Ⅱ, Ⅲ』不二文化, (2003~2005) 〈共著〉

『일본어 조동사 연구Ⅰ, Ⅱ, Ⅲ』不二文化, (2004~2006) 〈共著〉

『일본어 문법연구 서설』不二文化, (2005)

『현대일본어 경어의 제문제』不二文化, (2006) 〈共著〉

『현대일본어 문법연구Ⅰ, Ⅱ, Ⅲ, Ⅳ』시간의물레, (2006) 〈共著〉

『일본어 의뢰표현Ⅰ- 肯定의 依賴表現의 諸相 - 』시간의물레, (2007)

『일본어 의뢰표현 - 부정의 의뢰표현의 제상 - 』시간의물레, (2016)

『신판 생활일본어』시간의물레, (2017)

『신판 비즈니스일본어 1, 2』시간의물레, (2017)

『일본어 구어역 마가복음의 언어학적 분석Ⅰ, Ⅱ, Ⅲ, Ⅳ』
　　　　　　　　　　　　　　　시간의물레, (2018~2020)

『개정판 현대일본어 문법연구Ⅱ』시간의물레, (2019) 〈共著〉

『개정판 現代日本語 文法研究Ⅰ』시간의물레, (2020) 〈共著〉

『일본어 구어역 요한복음의 언어학적 분석Ⅰ, Ⅱ, Ⅲ』
　　　　　　　　　　　　　　　시간의물레, (2021)

임진영(任鎭永)

(현) 서경대학교 인성교양대학 강사

츠쿠바가쿠인대학(筑波学院大学) 비교문화학과 졸업

인하대학교 교육대학원 일본어교육 졸업

인하대학교 일반대학원 일어일본학과 졸업

문학박사(文學博士)

논저

「한국의 일본어 교과서 어휘 분석-중학교 교과서를 대상으로-」
　　　　　　　　　한국출판학회 Vol.47 No.6 (2021)

「의뢰표현〈ないでくださいますか〉의 표현가치」
　　　　　　　　　중앙대학교 외국학연구소 Vol.23 (2013)

「접사「ーよい」의 의미용법에 관한 일고찰」
　　　　　　　　　일본어 교육학회 Vol.60 (2012)

인생론 노트

초 판 1쇄 인쇄 | 2022년 8월 15일

지은이 미키 기요시   **옮긴이** 이성규·임진영

펴낸이 김진영

책임편집 김민지   **디자인** 조수연

펴낸곳 지식공간   **출판등록** 112-94-71641

주소 서울시 성북구 아리랑로 19길 60 (103-1205)

전화 02) 6015-1799   **이메일** knowspace77@gmail.com

홈페이지 http://knowledgespace.modoo.at

ISBN 979-11-977475-4-0(03100)

- 책값은 뒤표지에 있습니다.
- 파본은 구입하신 서점에서 교환해 드립니다.
- 이 책은 저작권법에 의하여 보호를 받는 저작물이므로 무단 전재와 복제를 금합니다.